D0231609

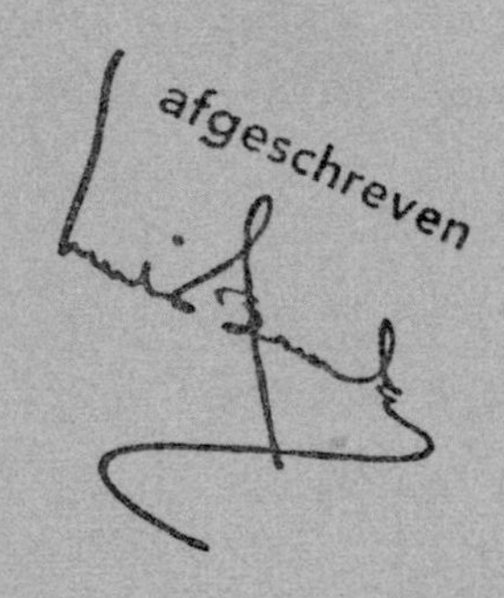
afgeschreven

Kaya blijft cool

GABY HAUPTMANN

Kaya blijft cool

Uitgeverij Ploegsma Amsterdam

Kijk ook op:
www.ploegsma.nl

Voor Caroline, onze wildebras

ISBN 978 90 216 7073 7 / NUR 283
Titel oorspronkelijke uitgave: *Kaya bleibt cool*

Omslagontwerp: Karin Hauptmann
Omslagfoto: Reinhard Schmid
Foto's en illustraties binnenwerk: Stock.XCHNG
Typografie omslag: Nancy Koot
Vertaling: Suzanne Braam
Zetwerk: zetR, Hoogeveen

Uitgeverij Ploegsma drukt haar boeken op papier met het FSC-keurmerk.
Zo helpen we waardevolle oerbossen te behouden.

Het was weer een enorme chaos, waarbij van alles mis leek te gaan. De quadrille voor volwassenen was een ramp! Hoe dat voor de grote kerstshow nog goed moest komen, was voor iedereen een raadsel.

Bibberend van de kou stonden Kaya en haar vriendinnen buiten voor de deur naar de binnenbak te wachten. De meiden hadden hun pony's al klaar voor de springquadrille, maar lieten ze nog maar even in hun boxen staan.

'Hoelang moet dit nog duren?' vroeg Minka boos. Ongeduldig veegde ze een bruine krul uit haar gezicht. Ze was dertien en had een smal figuur, maar nu stond ze er met haar benen gespreid en haar armen over elkaar geslagen als een bodybuilder bij.

Kaya stond op een omgekeerde emmer en gluurde over de brede, halfhoge deuren in de binnenbak. 'Ze rijden steeds verkeerd,' zei ze over haar schouder tegen de anderen. 'Dat is het probleem! En ze geven er elkaar de schuld van!'

'En dat zijn dan volwassenen!' Reni fronste haar wenkbrauwen. 'Dat geloof je toch niet?'

‘Nog even en ik ben veranderd in een ijspegel,’ zei Fritzi bibberend. ‘Zullen we even in de kantine gaan zitten?’

In de kleine kantine was het al behoorlijk druk. Veel mensen hadden honden meegebracht, die hun natte vacht droogden bij de kachel. Daar hingen ook enkele vochtige paardendekens en er stonden een stel rijlaarzen.

Kaya trok de deur van de kantine open en onmiddellijk sloeg de vieze lucht van natte mensen, natte kleren en natte dieren haar in het gezicht. ‘Gatver!’ zei ze. Ze kneep haar neus dicht, maar dat hielp niet veel. Achter haar duwden haar vriendinnen haar naar binnen.

Om de twee jaar organiseerde Claudia een grote kerstshow met een heel programma in haar kleine manege. Vrijwel alle volwassenen, jongeren en kleine kinderen die in de manege reden, deden mee. Op het eind kwam zelfs de Kerstman langs, want die mocht natuurlijk niet ontbreken. Altijd werd er een ontroerend verhaal verteld over een paard of over een deelnemer, en altijd was er een bijzonder hoogtepunt in het programma. En echt altijd ging er bij de repetities zo veel fout dat niemand kon geloven dat het ooit nog goed kwam.

Vandaag, bij de generale repetitie, was het helemaal verschrikkelijk. De zestien ruiters in de bak raakten maar niet op elkaar ingespeeld. De ene keer kwamen ze met hun paarden niet goed bij elkaar uit, de andere keer wisten ze niet meer welk figuur er nu volgde. Het was één grote chaos. En terwijl het in de kantine knus en gezellig was, daalde de stemming van de ruiters in de bak tot onder het nulpunt. Uiteindelijk liet Claudia de hele groep stoppen. Dat was nog nooit voorgekomen.

De meisjes keken elkaar verbaasd aan. Moesten zij nu met hun pony's de bak in? Of was de avond al afgelopen? Ging de kerstshow eigenlijk nog wel door?

In de kantine was het heel stil geworden. Zelfs de volwassenen wisten niet wat ze ervan moesten denken en ze keken niet-begrijpend toe hoe de ene na de andere ruiter de bak uit reed.

'En nu?' vroeg Minka.

Haar onschuldige vraag leek wel een startsein: plotseling begon iedereen door elkaar heen te praten. Een paar mensen liepen naar buiten, de honden blaften en de chaos was compleet toen in de bak een paard zich losrukte van zijn eigenaar en wild bokkend rondsprong.

Claudia stond met hangende schouders in het midden. Zelfs op deze afstand en door de vuile ramen van de kantine heen was aan haar te zien dat ze graag ter plekke door de grond was gezakt.

'Nou, dan gaan we maar,' zei Kaya.

'Wat doen?' wilde Cindy weten. Ze had rood haar en krabbelde aan haar neus, waarop honderden kleine zomersproetjes te zien waren.

'Het haar vragen!' zei Kaya.

Ze haalde haar schouders op. Ze geloofde niet dat Claudia alles wilde afblazen. Daarvoor stond haar kerstshow te goed bekend: het was altijd gezellig, goed en gratis. Vooral dat laatste, dat het gratis was, speelde een rol. Waar kreeg je nog iets aangeboden zonder dat je ervoor hoefde te betalen? Maar Claudia kreeg zoiets nog voor elkaar. De mensen zaten op balen hooi die aan de kopse kant van de bak tot een soort tribune opgestapeld werden. Ze kregen warme wijn, aten worstjes en genoten van de feestelijke stemming en de leuke show. Claudia's kerstshow was een groot evenement in het kleine dorp en daaraan konden zestien volwassenen die op goed geluk maar wat probeerden niets veranderen.

Kaya liep naar buiten en botste bijna tegen Trix op, die met haar Andalusiër Brioso afwachtend onder het afdak stond.

'Wat is er aan de hand?' vroeg Trix en Brioso gooide zijn zwarte hoofd omhoog, waardoor de dikke manen meevlogen.

'Paniek op de Titanic.' Kaya grijnsde. En toen Trix haar vragend aankeek, voegde ze eraan toe: 'Claudia heeft net de quadrille voor volwassenen stopgezet. Ik ga haar vragen wat we nu gaan doen!'

'Dat is heel moedig voor een generale,' zei Trix en ze grijnsde ook. Met haar lange, donkere haar en slanke figuur paste ze goed bij haar Andalusiër, die ze in een eigen stal hield. In de manege deed ze alleen maar aan uitvoeringen mee of ze gaf les in het grondwerk. 'Hoor ik dat dan nog van je?'

Kaya knikte en werkte zich door de meute mensen en dieren naar de geopende deuren van de binnenbak.

Claudia stond nog steeds alleen, midden in de bak. Blijkbaar durfde niemand naar haar toe te gaan. Was ze echt zo boos geweest? Het kwam wel eens voor dat ze hard uitviel, maar eigenlijk was ze heel aardig en wilde ze het iedereen graag naar de zin maken.

Kaya glipte naar binnen. Ze was net als haar vriendinnen dertien, en door het vele sporten lenig en gespierd.

'Mag ik je storen?'

Claudia draaide zich naar haar om. De spanning stond op haar gezicht te lezen. Maar toen ze zag dat Kaya – die anders altijd heel stoer was – nu zo aarzelend naar haar toe kwam, schoot ze in de lach. 'Ik bijt niet,' zei ze. 'Nog niet!'

'Gelukkig!' antwoordde Kaya.

Claudia haalde diep adem. 'Om je vraag meteen te beantwoorden: we gaan over een paar minuten door. We brengen alleen het aantal ruiters terug van zestien naar acht. Dat is alles!'

'O. Hmm.' Nu was Kaya toch een beetje teleurgesteld. Geen schandaal dus, geen ruzie, gewoon een doodnormale generale repetitie. 'Goed, dan wachten we nog even!' zei ze en ze draaide zich weer om.

'Dat zou ik fijn vinden,' antwoordde Claudia en Kaya kon niet aan haar horen of ze een grap maakte of het echt meende.

Kaya bracht Trix op de hoogte en liep toen vlug terug naar de kantine. Dit kon nog wel even duren. Haar arme Flying Dream moest nu gezadeld, en met bit in, misschien nog wel een uur wachten.

De kantine was bijna leeg. Kaya's vriendinnen waren verdwenen. Het was er ongezellig nu. Overal stonden lege flesjes, lege en halfvolle glazen en er lagen aangebroken zakjes chips. Kaya, die vaak in het restaurant van haar ouders hielp, kon niet tegen zo'n bende en begon op te ruimen.

De radio liet een kerstliedje horen. Toen de eerste ruiters weer de bak in kwamen, werd de kerstmuziek onderbroken voor een mededeling. Kaya luisterde maar half, en zo duurde het even voor het tot haar doordrong dat het over losgebroken paarden ging die ergens op een provinciale weg zouden rondlopen.

O jee, dacht ze. In de afgelopen dagen had het veel gesneeuwd. Buiten was het spekglad en donker. Geen auto zou snel genoeg kunnen remmen als er plotseling een paard uit het donker opdook.

Kaya baalde dat ze niet had gehoord wáár de paarden waren uitgebroken. Hoe zou ze dat zo snel mogelijk te weten kunnen komen? Zou ze tot de volgende mededeling wachten? Hier, in de manege, ontbraken in elk geval geen paarden, want dat was dan wel opgevallen.

Door het raam van de kantine zag Kaya hoe Claudia haar hand in haar broekzak stak. Ze pakte haar mobieltje. Blijkbaar was ze het ding vergeten uit te zetten. Haar blik rustte even op het display, en toen keek ze om zich heen. De ruiters waren bezig zich weer op te stellen. Ze nam het telefoontje aan. Dat duurde maar even, want opeens werd ze ongeduldig en Kaya zag hoe ze de ruiters opgewonden een teken gaf dat ze naar haar toe moesten komen.

Wat was er nu weer aan de hand?

Maar ze gebaarde niet alleen naar de ruiters. Ze gaf ook Kaya een teken of ze even wilde komen.

Wat zou Claudia van haar willen? Had iemand zijn bandages vergeten? Of lagen er weer paardenvijgen in de hoefslag?

Kaya stak haar hand op en probeerde er niet al te geprikkeld uit te zien. Buiten vroor het en ze had geen zin om door de kou naar de ijzige binnenbak te moeten. Bovendien werd het steeds later. Ze had voor vanavond de film *Pirates of the Caribbean* van een vriendin geleend en verheugde zich op Johnny Depp.

Dreamy zou ook wel gek worden. Hij was tenslotte geen pony die vrolijk werd van uren wachten. Hij zou straks bij de springquadrille als een slaapwandelaar de hindernissen nemen. Dat wist ze nu al. En waar hingen de anderen eigenlijk uit? De rest van de Wilde Amazones? Zaten ze met chips en cola op de hooizolder? Het nest dat ze daar door de jaren heen hadden gebouwd lokte haar nu ook meer dan Claudia's gebiedende hand.

Nou ja.

'Deur vrij!' riep ze, voor ze de binnenbak in ging. Dat roepen was verplicht, zodat niemand een ander ondersteboven kon rijden. Of zelf onder de hoeven terecht kon komen.

Claudia kwam al naar haar toe. De ruiters stonden opgewonden met elkaar te praten – het moest niet veel gekker worden! Kaya bleef staan.

'Ik ben net door de politie gebeld,' zei Claudia buiten adem. 'Vijf paarden zijn losgebroken en maken nu de landweg onveilig. We moeten ze vangen!'

'Wij?' Kaya keek om zich heen. 'Waarom wij?'

'Omdat niemand zich gemeld heeft. Niemand schijnt de dieren te missen en niemand weet waar ze vandaan komen.'

O! Maar dat was een kans! Misschien waren het springpaarden en mocht ze er meteen één houden. Of circuspaarden, zoals in Circus Knie? Of een pony die op de Europese kampioenschappen was uitgekomen. Zoals Chris er pas eentje van zijn ouders had gekregen, een prachtig beestje van tachtigduizend euro.

'Waar zijn ze?' vroeg Kaya. Alle lusteloosheid was als sneeuw voor de zon verdwenen.

'Ergens tussen hier en het volgende dorp, vijf kilometer verderop.'

Die weg was bochtig en liep door het bos, wist Kaya. Totaal onoverzichtelijk.

'Lieve help! En hoe moeten we dat gaan doen?'

'De politie zet de landweg af. Wij nemen de paardentrailer, trommelen hier alle volwassenen op en vertrekken!'

'En onze generale?'

'Die vindt plaats tijdens de echte show!'

Shit! Dit kon nog wat worden!

Kaya liep achter Claudia aan en binnen enkele minuten waren alle volwassenen en jongeren bij elkaar geroepen. Ze bevrijdden vlug hun paarden van zadels en bitten en zetten ze in de boxen terug. Vervolgens verdeelden ze zich over de auto's die nog op het erf stonden.

Kaya wilde net bij Claudia instappen, toen ze zag dat de jeep van Chris' moeder het erf op draaide. Ze zou deze auto uit duizenden herkennen. Vooral omdat Chris er meestal in zat. Ze was stiekem verliefd op hem. Hij was vijftien en kwam eerder over als een coole beachboy dan als een springruiter.

'Ik kom er zo aan,' zei ze vlug tegen Claudia en ze sloeg het portier weer dicht. Ze liep, zwaaiend met beide armen, de jeep van Simone Waldmann tegemoet.

Simone stopte en bleef afwachtend staan, terwijl Chris zich uit het open raampje boog. 'Is er ergens brand of zo?'

Hij wees naar de vele auto's die allemaal achter elkaar aan in dezelfde richting reden.

Op dat moment reed ook de grote paardentrailer het erf af. Claudia's man zat achter het stuur.

'Zoiets,' zei Kaya vlug. 'Er zijn ergens vijf paarden uitgebroken. Ze lopen nu tussen hier en het volgende dorp in de buurt van de landweg, die ook een stuk door het bos loopt. De politie heeft gebeld en gevraagd of wij ze willen vangen.'

'Heb je je lasso bij je?'

Chris grijnsde naar haar en Kaya vond dat hij er geweldig uitzag. Het probleem was dat hij op meisjes viel die ouder waren dan hij. Haar zus Alexa had hem al duidelijk gemaakt dat hij niet haar type was, maar dat had niets uitgehaald. Hij was zo gefascineerd door Alexa's verschijning dat het niet eens tot hem doordrong dat ze al zeventien was.

'Wil je met ons meerijden? Dan helpen wij ook!' vroeg Simone nu.

Kijk, deze vrouw begreep het tenminste!

'Nou graag!'

Kaya gebaarde naar Claudia dat ze met mevrouw Waldmann meereed en stapte achter in de jeep. Ze stuurde haar zus een sms'je met de vraag of ze aan hun ouders wilde doorgeven dat 'de kleine' vandaag later thuis was.

'Vijf paarden? Het moet toch opvallen als er ergens vijf paarden weg zijn?' zei Simone verbaasd.

Ze had een gewatteerd jack aan en een wollen muts op. Ze zag eruit als een oudere zus van Chris in plaats van als zijn moeder. Ze liep vaak in oude spijkerbroeken en T-shirts, terwijl ze advocate bij de Belastingdienst was. Haar man zag er juist altijd uit om door een ringetje te halen: hij was van top tot teen een zakenman, zelfs op vakantie.

Kaya was een tijd geleden met Chris en zijn ouders naar een trainingscentrum voor paarden geweest. Daar hadden ze Wild Thing gevonden en gekocht, een fantastische springpony. Kaya mocht haar toen op dressuur testen. En nu ging ze op haar rijden in de jeugdquadrille tijdens de kerstshow, een van de hoogtepunten van de avond.

Maar vanavond moesten ze zich concentreren op de pikdonkere landweg.

In het bos vóór hen zagen ze een blauw zwaailicht. Simone minderde vaart. 'Aha, de politie is er,' zei ze. 'Daar ben ik blij om!' Ze wees naar het brede handschoenenkastje. 'Kijk eens of onze zaklamp daarin ligt, Chris. Daar hoort ie te liggen, als jij hem tenminste niet weer hebt ontvoerd!'

'Ik? Waarom ik?' Chris keek haar boos aan, maakte toen het kastje open en haalde er een zwarte staaflamp uit die hij onmiddellijk aanknipte. 'Niet zo somber, ma! En hij doet het ook nog!'

'Bofkont!'

Zijn moeder lachte. Ze minderde nog meer vaart, omdat ze nu vlak bij het gedeelte kwamen dat door de politie was afgezet. Er stond een agent op de weg en Chris' moeder liet het raampje zakken.

'Hoort u ook bij de zoekende groep?' vroeg de agent.

'Ja, en als het even kan gaan we ze nog vangen ook,' antwoordde Simone met een grijns.

De agent knikte en liet haar doorrijden.

'Kijk eens achterom, Kaya, liggen daar nog halsters en teugels?' vroeg Simone vervolgens.

Kaya hing over de rugleuning van de achterbank. 'Ja!' riep ze terug.

'Heel goed!' Simone keek haar zoon kwajongensachtig aan. 'Het heeft ook zijn voordelen als je nooit opruimt!'

'En ik zie ook appels liggen en een plastic zak met traktaties voor de paarden,' zei Kaya.

'Nou, dat is fantastisch,' vond Chris' moeder. 'Zijn de appels nog te eten?'

Kaya pakte er een en bekeek hem. 'In elk geval ziet deze er niet beschimmeld uit!'

'Het is maar goed dat mijn man nooit in deze auto rijdt. Hij zou gek worden!' Simone lachte en wees voor zich uit. 'Zo, daar zijn de anderen ook. Nu zullen we horen hoe de vork in de steel zit.'

Het had ook een wild oerwoud kunnen zijn, zo dicht en donker was het bos. Maar in tegenstelling tot in een oerwoud was het er doodstil. En de kou paste er ook niet bij. Toen ze een paar minuten later in een rij naast elkaar door het kreupelhout liepen, iedereen gewapend met een zaklamp, kreeg het geheel zelfs iets spookachtigs.

Kaya liep naast Chris en dat alleen al maakte het hele avontuur de moeite waard. Met of zonder paarden. Zelfs als het 'uitstapje' van de dieren allang afgelopen was en ze ondertussen gezellig in hun stal aan het hooi stonden te knabbelen, zou dat niets aan het feit veranderen dat Kaya daardoor nu in elk geval een ontmoeting met Chris was gegund, in plaats van een *pas de deux* met zijn pony. Jammer dat ze hem dat niet kon vertellen. Ze waren tenslotte niet alleen in het bos.

Uiteindelijk zei Chris wat Kaya ook al dacht: 'Zo vang je toch geen paard!'

Ze beklommen een heuvel en zagen minstens twintig mensen. De meesten liepen te hijgen. De heuvels waren steil en de bosgrond was bezaaid met takken en wortels.

'Wie zegt dat de paarden deze kant uit zijn gelopen?' hoorden ze een duidelijke stem uit de groep zeggen. Het was Klaus Zonnig, de vader van Minka.

Hij had gelijk. Waarom liepen ze precies hierlangs? De paarden konden toch ook aan de andere kant van de landweg zijn?

'Een man in een auto zag de dieren de heuvel op lopen en heeft dat aan de politie gemeld!' Deze keer was het een vrouwenstem.

'Dat is waarschijnlijk uren geleden geweest en mensen zien soms het verschil niet tussen een paard en een slak. Ze zijn natuurlijk al lang ergens anders.'

De lichtbundels van de zaklampen zwenkten om en ze liepen naar elkaar toe. Ze zagen eruit als vermomde bergjagers. Een aantal mensen had teugels of halsters in hun handen of om hun middel gebonden. Er werd gestampvoet, omdat de kou door de dunne, leren zolen van de rijlaarzen heen drong.

'En nu?' vroegen ze aan Claudia, die tussen hen in stond met een rode sjaal om haar hoofd.

Ze zuchtte en zocht naar een goed antwoord, toen haar mobieltje ging. Het was haar man.

'Kom maar weer naar beneden. Ze zijn hier!'

Hij praatte zo hard, dat bijna iedereen hem kon horen.

Hij gaf haar een kleine por tegen haar bovenarm, die ze hem met plezier weer teruggaf. Zo dom was hij dus ook weer niet. Dat stelde haar op de een of andere manier gerust. Hij moest haar liefde wel waard zijn, vond ze. Anders had ze nog eens ernstig over haar gevoelens na moeten denken.

Ze liepen in het licht van de koplampen van Reiniers wagen. Die bracht de vreemdste geluiden voort. Hij kreunde, bromde en steunde. De trailer was niet zo jong meer, maar ze waren op de manege blij dat ze zo'n oud gevaarte bezaten. Anders hadden ze voor elk toernooi een eindeloze karavaan van paardenaanhangers moeten regelen. Maar a) er waren niet zo veel mensen die hun rijbewijs hadden en b) de mensen die dat wel hadden, hadden niet altijd tijd. En dan bleef er nog de kwestie van een goede paardenaanhanger. Want die kreeg je ook niet cadeau in een verrassingsei. Alles was duur in de paardensport.

Kaya haalde diep adem en gluurde even naar haar vriendinnen die met hun hoofden dicht bij elkaar stonden te fluisteren. Misschien wel over haar, en daarin kon ze hun alleen maar gelijk geven. Want normaal gesproken broedden ze alles samen uit, bespraken ze alles met elkaar, beleefden en doorstonden ze samen duizend avonturen. Maar nu, net bij zo'n avontuur, liet ze hen alleen vanwege Chris. Geen enkel meisje vond het leuk als haar vriendin raar ging doen vanwege een jongen. Hopelijk praatten ze na afloop nog tegen haar.

Ze keek weer naar het groepje en haar ogen kruisten de blik van Minka, die naar haar knipoogde. Gelukkig. Het was vast niet zo erg, want anders had ze haar tong wel naar haar uitgestoken.

'Stop!' zei Claudia plotseling.

De hele groep stond meteen stil. Op de weg voor hen waren zwarte sporen te zien in het besneeuwde wegdek. Waren het sporen van herten, wilde zwijnen of mensen? Of waren het misschien sporen van paarden?

Claudia en Simone volgden de sporen. Reinier stopte en de meisjes en Chris bleven bij de trailer staan. Claudia draaide zich om en knikte. Ze straalde zelfs. Ze leek wel een goudzoeker die op goud was gestuit. De rode sjaal om haar hoofd was al bijna helemaal wit en haar wangen gloeiden. Iedereen had trouwens een rode gloed over het gezicht. Ze begonnen steeds meer op een stel Eskimo's te lijken.

Claudia stak haar hand op, wat 'Stil!' betekende. Ze gaf haar man een teken en die zette de motor uit. Met een soort zucht viel de diesel stil. Meteen daarna hoorden ze het... Hoefgetrappel!

Al snel was het geluid duidelijker te horen. Iedereen leek aan de grond genageld. Kaya vond het griezelig hoe ze daar zo afwachtend stonden, op een weg door het bos, zonder maan, in zware sneeuwval, beschenen door de lampen van Reiniers auto. Aan het getrappel te horen kwamen er paarden aan. Maar waren het wel paarden? Ze waren nog niet te zien.

Kaya had een hekel aan horrorfilms en op dat moment wist ze ook weer waarom. Ze wilde altijd weten wat ze kon verwachten. Bijvoorbeeld wanneer het thuis haar beurt was om het gras in de tuin te maaien of wanneer ze op school een toets had. Maar dat wist ze nu absoluut niet. Ze kwam bijna in de verleiding Chris' arm vast te grijpen.

Hij stond rustig naast haar, maar ze kon zijn relaxte houding niet overnemen. Iedereen was verschrikkelijk gespannen. Zelfs Simone, die altijd alles onder controle leek te hebben, zag er nerveus uit.

Opeens verscheen er een reusachtig, zwart silhouet in de bocht van de weg. Stokstijf bleef het voor hen staan.

Op dat moment begonnen ze allemaal tegelijk zachtjes tegen het dier te praten:

'Ho, hóó!'

'Kom maar, braaf beest!'

'Bráááf, bráááf!'

Maar het paard wilde niet braaf zijn. Het maakte rechtsomkeert en verdween weer in de duisternis.

Ze keken elkaar allemaal verbluft aan. Toen liepen ze langzaam verder over de weg. Deze keer ging Kaya met haar vriendinnen voorop. De meiden moesten de paarden geruststellen. Ze waren niet zo groot en hadden lichte en vriendelijke stemmen. Kaya had er nooit aan getwijfeld dat paarden een bepaald instinct hadden en wisten wat goed voor hen was en wat niet. Nu moesten ze dat alleen nog bewijzen.

Kaya, Minka, Cindy, Reni en Fritzi liepen langzaam de bocht om. Daar bleven ze staan. Ze zagen een muur van paardenlijven. Dat leek in de duisternis heel dreigend, want de koplampen van de auto reikten nauwelijks tot daar. En hoewel de paardenbenen op de witte sneeuw nog goed te zien waren, versmolten hun donkere lijven met de duisternis.

Geschrokken door de plotselinge ontmoeting keek iedereen onzeker naar de reactie van de ander. Wie zou de eerste stap durven zetten? En hoe zou erop gereageerd worden?

Kaya was niet van plan blindelings naar het front van vreemde paarden te marcheren. Dus maakte ze listig gebruik van een truc. In haar linkerzak had ze wortels, in de rechter een plastic zak met paardensnoepjes. Die gaf ze Dreamy altijd als hij iets bijzonders moest doen. Zoals vandaag bijvoorbeeld: een springquadrille op een onmogelijke tijd. Ze kraakte met de plastic zak. En Joost mocht weten waarom plastic in de wereld van paarden zo'n grote betekenis had, maar de eerste vier benen werden al onrustig. Het was als een schimmenspel. Boven zag ze niets, alleen beneden kon ze beweging zien. Kaya maakte weer een ritselend geluid en deed een stap naar voren. Daarbij was ze zich ervan bewust dat iedereen gefascineerd naar haar keek. Als ze nu een fout zou maken, was ze gegarandeerd de sukkel van de avond. *Heb vertrouwen in jezelf, dan vertrouwen de anderen je ook,* zei ze in gedachten tegen zichzelf. Dat zei haar moeder altijd. En hoewel ze niet begreep waarom dit gezegde haar precies op dit moment te binnen schoot, besloot ze zichzelf te vertrouwen. Ze zette weer een stap en ritselde opnieuw met de plastic zak.

Een schaduw maakte zich los uit het front. Eerst aarzelend, toen vastbesloten. Het dier kwam op haar af. Het was een veulen misschien, of... Nee, een pony! Hij kwam naar haar toe en duwde met zijn neus tegen de zak in haar hand. Kaya gaf hem een paar snoepjes en toen stond Minka ineens naast haar. Ze stopte het dier een wortel in zijn mond en deed hem een halster om.

Waar was Chris eigenlijk?

Kaya deed nog een stap naar voren. Het leek wel alsof de pony een lawine had veroorzaakt. De paarden kwamen nu opeens allemaal om haar heen staan en probeerden de plastic zak uit haar handen te trekken. Meteen waren alle andere helpers ter plekke. Gewapend met wortels, lekkernijen, teugels en halsters hadden ze bliksemsnel ook de vier paarden aan de teugel.

Als een van de paarden in paniek zou raken, zou het niet goed gaan op het besneeuwde wegdek. Met sussende woordjes en door hen voortdurend eetbare dingen toe te stoppen, lukte het hen ze de bocht om te lokken naar de paardentrailer. Maar toen bleven de dieren als aan de grond genageld staan. Dit waren geen toernooipaarden, dat was duidelijk. En dus zagen ze in plaats van een trailer een of ander monster.

Claudia gaf Reinier een teken en hij bleef stil in de wagen zitten. Pas toen hij hen in zijn achteruitkijkspiegel achter de volgende bocht zag verdwijnen, durfde hij de auto te starten en te draaien.

Onder begeleiding van de politie kwamen ze bij de manege aan. Kaya had de pony overgenomen die het eerst naar haar toe was gekomen en ze had Minka gevraagd naar de politieauto te gaan. De agenten moesten het blauwe zwaailicht doven en gewoon rustig met knipperlicht voor hen uit rijden. Dat deden ze en zo bereikten ze een halfuur later lopend de manege.

Er waren intussen vijf boxen leeggemaakt en van vers stro voorzien. Wild Thing van Chris was zelfs naar haar eigen stal teruggebracht. Ze had hier alleen maar voor de generale repetitie gestaan en haar gastbox was nu voor een ander paard nodig.

Het was een stille intocht. De meeste ruiters waren nog op de manege en er waren intussen ook een paar ouders bij gekomen. Pas toen de paarden in hun boxen stonden en totaal uitgehongerd op het voer aanvielen, alsof ze wekenlang onderweg waren geweest, kwam er weer wat leven in de brouwerij.

'Hoe kan dat nou?' vroeg Kaya aan Chris, terwijl ze naar haar geredde pony keek. Het beestje had zijn hoofd zo diep in de voerbak laten zakken dat het nauwelijks nog te zien was.

'Dadelijk klimt hij er met zijn hele lijf in,' zei Chris en Kaya schoot in de lach, hoewel ze het beeld eigenlijk een beetje zielig vond. Het kleine dier was heel mager, hij was uit zijn hoeven gegroeid, zijn vacht was stoppelig en hij had vast last van parasieten.

'Hij doet me denken aan de kerstkribbe,' zei Kaya. Ze maakte een holletje van haar handen en blies erin, omdat ze door de lange tocht ijzig koud waren geworden.

'Mij eerder aan een klein circus, dat geen kolen meer heeft voor de winterstal.'

'Hou op, alsjeblieft!' Daar moest ze al helemaal niet aan denken. 'Dan liepen hier ook nog lama's en olifanten vrij rond.'

'En clowns,' zei Chris.

Kaya kon er niet om lachen. Ze zwegen een poosje en al snel voegden haar vriendinnen zich bij hen.

'Wat zien ze er alle vijf uit, hè?' zei Reni hoofdschuddend. 'Of ze zijn al ik weet niet hoelang onderweg, of de eigenaar is een sadist!'

'Of heeft geen geld!'

Simone kwam erbij staan en klapte in haar handen. 'Lieve mensen, Claudia vraagt of jullie komen: er is warme thee, chocolademelk en kruidkoek!'

'Waar?' vroeg Kaya argwanend. Opeens zag ze de bende in de kantine weer voor zich, waaruit iedereen zo vlug was vertrokken.

'In de kantine,' zei Simone en ze lachte toen ze het gezicht van Kaya zag. 'Heidi heeft intussen opgeruimd!'

'Als we die niet hadden,' zei Kaya met een zucht. Ze draaide zich nog een keer om naar de pony. En toen het dier zijn hoofd optilde en haar rustig aankeek, was ze verkocht.

De volgende morgen was Kaya om zeven uur in de keuken. Haar moeder kon haar ogen niet geloven, want normaal gesproken was Kaya een langslaper.

'Nieuwe liefde?' vroeg Karin de Birk lachend, terwijl ze haar badjas dichtknoopte.

'Jij hoeft niet op te staan omdat ik dat doe,' antwoordde Kaya. 'Ik kan heus wel een boterham voor mezelf smeren!'

'Dat weet ik,' zei haar moeder. 'Sinds Simone Waldmann me verteld heeft dat je voor hele families kunt koken, maak ik me daarover helemaal geen zorgen meer!'

Toen ze een paar weken geleden met de familie Waldmann het trainingscentrum van Wild Thing bezocht, had ze samen met hen in een romantische blokhut gelogeerd. Ze had indruk op Chris willen maken. Maar nu was ze weer een paar weken ouder en had ze alles beter in de hand.

'Mam, echt, slaap toch een keer lekker uit!'

Maar ze ging toch met haar moeder aan de keukentafel

zitten en terwijl zij haar chocolademelk dronk en haar moeder een kop koffie, vertelde ze alles tot in de kleinste details.

'En wij hadden gisteren een bruiloftsdiner in het restaurant,' mopperde Karin. 'Ik denk soms dat ik te veel mis. Op een bepaald moment word jij volwassen, je krijgt zelf kinderen en ik maak daar bij wijze van spreken niets van mee!'

'O, maar daar zul je echt alles van meemaken!' Kaya lachte. 'Kleinkinderen zijn vast nog veel lastiger!'

Kaya's moeder legde haar hand op die van Kaya. 'En wat trekt je nu zo vroeg naar de manege?'

Kaya haalde diep adem.

'Gisteravond, in het donker, toen alle paarden voor ons stonden, wisten we niet hoe ze zouden reageren. Ze zouden waarschijnlijk doodsbang voor ons zijn. Maar één pony kwam naar ons toe, moedig en vastbesloten. We stonden daar met zijn allen en iedereen probeerde het dier te lokken, en het koos mij uit, mam! En na afloop keek hij me zo aan, dat ik dacht: er is meer!'

'Wat bedoel je daarmee?'

Kaya nam een slokje van haar chocolademelk en veegde met de rug van haar hand de bruine rand boven haar bovenlip weg. 'Weet je, die pony heeft een oude ziel,' zei ze toen. 'We hebben een soort zielsverwantschap. Op dat moment, toen hij me zo aankeek, wist ik dat!'

Karin zweeg. Ze keek aandachtig naar haar dochter. 'Als je vijf minuten wacht, kleed ik me aan en ga ik mee!'

Hè? Haar moeder was bang voor paarden en bovendien had ze nooit tijd. Toernooien vonden altijd in het weekend plaats en dan was het meestal heel druk in het restaurant. Door de week was het 's avonds vaak ook te druk dus als Kaya les had, kon er ook nooit iemand mee. Haar ouders konden haar passie absoluut niet delen. Dat was bij haar oudere zus Alexa ook zo geweest. Die was zelfs een heel jaar in opleiding geweest bij een manege met een uitstekende naam. Ze had er de beste paarden bereden en behoorlijk wat succes gehad, maar hun ouders hadden daar bijna niets van meegemaakt. Dat was nu eenmaal zo. Kaya had zich daar allang bij neergelegd. Daarom was ze nu extra blij met de onverwachte belangstelling van haar moeder.

Twintig minuten later waren ze op de manege. Ze troffen Reinier aan, die net bezig was de paarden te voeren.

'Ze zien er zielig uit,' zei hij hoofdschuddend. 'En niemand mist ze. Het lijkt wel of ze zomaar uit de lucht zijn komen vallen!'

'Er zal zich toch wel iemand melden?' Karin keek haar dochter aan. 'Laat me die pony eens zien!'

Het dier was in een box gezet met een uitloop naar een omheind veldje waarop een perenboom stond. Er was al flink van de schors geknabbeld en de boom had voor de winter zijn blad verloren. Maar ondanks dat zag het er idyllisch uit. De sneeuw die in de nacht was gevallen, was intussen gesmolten en de temperatuur was alweer boven nul geklommen.

Toen ze dichter bij het veldje kwamen, strekte de pony zijn hals. Hij stond in de geopende deur naar het veldje en keek hen aan. Toen brieste hij.

'Ik krijg kippenvel,' zei Kaya's moeder en Kaya greep automatisch haar moeders hand vast.

Ze bleven staan en de pony kwam naar hen toe. Kaya hield hem de meegebrachte wortel voor en hij zette er stevig zijn tanden in. Kaya's moeder ging geen centimeter achteruit.

'Arm beestje, wat ben je mager,' zei Karin.

'Maar zie je wat een leuk paardje het is!' zei Kaya. Ze keek haar moeder aan.

En inderdaad, als je een stap naar achteren deed en niet naar het broodmagere paardenlijf met de stoppelige vacht keek, dan was hij een kleine vos met vier regelmatige, hoge, witte benen en een grote bles die mooi gelijkmatig van het voorhoofd tot aan de neusgaten reikte.

'Je hebt gelijk,' zei Karin. 'Hij heeft iets!'

Kaya glimlachte als een trotse moeder.

'En wat gebeurt er nu met hem?' wilde Karin weten.

'Hij wordt eerst goed verzorgd!'

'En dan?'

'Als zijn eigenaar zich meldt, onderzoeken we of dit een geval voor de dierenbescherming is.'

'En dan?'

'En dan, mam?' Ze wierp haar moeder een smekende blik toe. 'Dan zien we verder.'

'En hoe wil je hem zolang noemen?'

Het antwoord kwam als een pistoolschot.

'Whitefoot!'

'Whitefoot?' Haar moeder dacht na. 'Het is toch een jonge hengst, of niet? Noem hem dan Meneer Witvoet!'

'Meneer Witvoet? Dat klinkt toch idioot?'

'Dan misschien: Sir Whitefoot!'

'Sir Whitefoot?' Kaya liet de naam een paar keer door haar mond gaan. Toen knikte ze. 'Dat vind ik wel leuk! Dat is het! Sir Whitefoot!'

Tegen tien uur dreigde de kleine manege uit zijn voegen te barsten. Het was zondagochtend en er waren mensen die je anders alleen maar bij officiële gelegenheden zag. Meneer Kenner, de burgemeester, meneer Gropper van de plaatselijke krant en een van de agenten van afgelopen nacht. En natuurlijk veel paardeneigenaars en ruiters, want het verhaal van de nachtelijke actie was als een lopend vuurtje door de regio gegaan.

Ze zaten allemaal bij Claudia in de kantine. Ze dronken koffie en overlegden wat hun nu te doen stond. Kaya en haar vriendinnen hadden zich er stilletjes bijgevoegd. Per slot van rekening hadden ze bij de groep redders gehoord en dus hadden ze er recht op, vond Kaya.

De agent vond het vreemd dat er nog steeds geen aangifte van vermissing was gedaan. 'Het moet toch opvallen als er opeens vijf paarden ontbreken!' zei hij tegen Claudia.

'Dat ligt aan de verhoudingen binnen een bedrijf,' was haar antwoord.

'In een bedrijf met open stallen, waarin te veel paarden opeengepakt staan?'

Ze dacht even na, maar schudde toen zo heftig 'nee' dat haar kortgeknipte, donkere haar om haar hoofd danste. 'Dan zouden alle paarden zijn uitgebroken en niet alleen deze vijf. Maar ze zijn alle vijf ondervoed en – als je goed kijkt – ook behoorlijk verwaarloosd.'

De burgemeester perste zijn lippen op elkaar en keek naar meneer Gropper, die ijverig mee schreef. 'Is het een geval voor de sociale dienst? Als er zoiets bestaat voor paarden, tenminste?' vroeg hij toen.

Claudia schoot in de lach. 'Hartverscheurende gevallen wel, maar we hebben tot nu toe nog nooit een aanvraag bij de sociale dienst hoeven indienen.'

Iedereen lachte mee.

Kaya fronste haar wenkbrauwen en keek Minka even aan. Waar hadden ze het over? Het was altijd hetzelfde! Als volwassenen eindelijk ter zake kwamen, waren er uren voorbij en was je van verveling ingedut.

'Als er geen opsporingsbericht uitgezonden is, en de dieren dus nergens worden gemist, moet je er eigenlijk van uitgaan dat ze in de vrije natuur zijn losgelaten.'

'Losgelaten?' echode Kaya.

Ze keken haar allemaal aan.

'Hoe kun je paarden nou zomaar loslaten?' vroeg ze. 'Ze zijn toch veel geld waard!'

De burgemeester keek haar aan en haalde zijn schouders op. 'Er worden ook honden met stamboom ergens in een bos achtergelaten. Of raskatten. Voor sommige mensen maakt dat niets uit, als ze van een dier af willen.'

'Dan hebben wij nog geluk gehad,' zei Fritzi zachtjes, terwijl ze aan haar neus krabde.

Iedereen had het gehoord en barstte in lachen uit.

'Het is helemaal niet zo vreemd wat zij daar zegt,' mompelde de journalist, terwijl hij met zijn balpen op zijn schrijfblok tikte. 'Het komt nog steeds voor dat baby's te vondeling worden gelegd.'

Het lachen stierf weg. Iedereen dacht na. De journalist had gelijk.

'Goed, laten we op ons probleem terugkomen!' De burgemeester keek Claudia aan. 'U kunt natuurlijk niet zomaar vijf extra paarden herbergen en in leven houden. Wat zouden we kunnen doen?'

In plaats van Claudia antwoordde de journalist: 'Morgen staat er een artikel in onze krant en ik zal er ook voor zorgen dat andere kranten in de regio de melding zullen plaatsen. De dieren hebben zeker geen honderd kilometer gelopen. En als zich dan nog steeds niemand meldt, moet Claudia financieel worden ondersteund, want ze hoeft deze last natuurlijk niet alleen te dragen. En dan moeten er kopers voor de dieren worden gezocht.'

De burgemeester knikte. 'Goed idee. Dat lijkt me zinvol.'

En de agent voegde eraan toe: 'We zullen ook omringende politiebureaus inlichten. Zulke gevallen zijn vaak bekend bij de collega's. Alleen kunnen zij zonder aanleiding niet altijd ingrijpen.'

'Aanleiding?' vroeg Reni.

'Aangifte of klacht. Eerst moet iemand de eigenaar van de verwaarloosde dieren aangeven. Of de dierenbescherming grijpt in. Wij kunnen niet zomaar ergens heen gaan, wij zijn maar een uitvoerend orgaan.'

'Een uitvoerend orgaan?' herhaalde Fritzi zachtjes. 'Dat klinkt net alsof het over iemands lever gaat!'

Iedereen lachte weer en stond toen op, omdat de burgemeester opstond.

'Goed,' zei hij. 'Dames en heren, en ik bedoel nu vooral de Wilde Amazones!' Hij gaf hun een knipoog en vervolgde: 'We zullen dus eerst de reacties afwachten en daarna pas in actie komen.'

'Dat hij dat nog weet van de Wilde Amazones,' fluisterde Cindy, nadat de burgemeester naar buiten was gegaan met de hele groep achter zich aan.

'Dat zegt iets over hem,' vond Kaya.

Ze hadden een keer Flying Dream ontvoerd, die toen nog een pony van de manege was, omdat hij verkocht moest worden. De vriendinnen hadden zich voor de pers 'De Wilde Amazones' genoemd. Het was niet voor niets geweest. De aandacht was groot geweest en Dreamy had een fantastische nieuwe eigenaar gevonden: de vader van Chris. Meneer Waldmann had de pony voor Charlotte, zijn dochter van tien, gekocht. Er werd besloten hem bij de manege te laten staan en Kaya mocht hem blijven berijden.

'Heb ik iets gemist?' vroeg mevrouw Waldmann, die intussen was binnengekomen.

'De burgemeester is net vertrokken,' zei Kaya en ze vertelde haar kort wat er gezegd was.

Daarna gingen ze samen naar Sir Whitefoot. De pony stak zijn hoofd naar buiten toen hij Kaya's stem hoorde. Hij brieste zachtjes en kwam naar hen toe.

'Wow!' zei Simone. 'Dat is vlug gegaan!'

Kaya glimlachte. 'Ja, hij schijnt me wel aardig te vinden!'

Ze bleven een poosje staan, aaiden hem en gaven hem een paar paardensnoepjes.

'Zou hij eigenlijk te berijden zijn?' vroeg Simone zich

hardop af. Ze bekeek de pony vanaf zijn hoofd tot aan zijn hoeven.

'Waarom niet?' vroeg Minka, die ook was meegelopen.

'Nou, hij heeft nauwelijks spieren. Hij ziet er niet uit alsof hij in training was,' antwoordde Simone.

'Klopt!' Kaya knikte. 'Maar wij verliezen onze spierkracht toch ook snel zodra we niets meer doen?'

Simone knikte en zocht in de zak van haar jack naar lekkere dingen, waarop de pony met een knikkend hoofd reageerde.

'We kunnen het in elk geval niet uitproberen, want hij is niet van ons,' zei Kaya.

'Nou ja. Laat hem eerst maar eens goed eten,' zei Simone. 'Vanmiddag komen de dierenarts en de hoefsmid, dat is onze bijdrage aan de zaak. Dan zien we wel verder!'

'Wat goed dat u dat doet,' zei Minka met een brede glimlach. Als haar vader ervan hoorde zou hij zeker ook iets willen bijdragen, misschien extra voer?

En ook Kaya vond dat cool. Meneer en mevrouw Waldmann waren heel aardig, bedacht ze. Wat een gelukkig toeval dat ze nou net verliefd was op Chris en niet op iemand met volslagen idiote ouders. Je had de ouders van je liefde tenslotte niet voor het uitzoeken.

Claudia had nog geprobeerd vóór de middag een laatste training voor de kerstshow in te lassen, maar dat lukte niet. Veel mensen waren er niet eens, omdat het idee plotseling was ontstaan. En dus liet ze iedereen gewoon maar zijn gang gaan.

Kaya was met haar vriendinnen op de hooizolder weggekropen in hun Amazonenest. In een kleine kist – veilig opgeborgen voor de muizen – zaten hun voorraden lekkers: blikjes cola, chips, zoute stengels en repen chocola.

'Hoe komen we erachter waar de paarden thuishoren?' vroeg Cindy, terwijl ze op een streng van haar rode haar kauwde.

'Morgen komt er een artikel in de krant, dan weten we meer.'

Reni was de sterkste van het groepje. Ze was naast paardrijden ook nog druk met handballen en als tegenstander zeer gevreesd. Nu trok ze een zak chips open en stopte een handvol paprikachips in haar mond. 'Wil iemand iets?' mompelde ze. Nauwelijks verstaanbaar met haar volle mond, hield ze de zak in de hoogte.

Er klonk een verlangend 'Miauw' achter haar. Georgy, de huiskater, was dichterbij geslopen.

'Dit is geen muis! Je vindt dit vast niet lekker,' zei Reni en ze hield hem een handje chips voor.

Georgy snuffelde er belangstellend aan, maar draaide zich toen met opgetrokken neus om. Reni stak de chips in haar eigen mond en grijnsde.

Minka keek haar met gefronste wenkbrauwen aan. 'De mens heeft bacteriën nodig, anders bouwt hij geen weerstand op en is hij altijd ziek!'

'Nou, daar heb jij zeker geen problemen mee,' zei Fritzi, graaiend naar de zak die Reni weer omhooghield. 'Geef hier, ik wil ook een beetje!'

Cindy duwde haar nat gekauwde streng haar achter haar

oor, gaf Fritzi een vrolijke knipoog en vroeg met een zelfvoldaan gezicht: 'Klopt het dat ik je vrijdag met Floris op het schoolplein heb gezien?'

Onmiddellijk boog iedereen zich nieuwsgierig naar Fritzi toe.

'Floris!' zei Minka spottend. 'Maar dat is zo'n kakker! Verschrikkelijk!'

'Een kakker? Hoe kom je daar nou bij? Het valt reuze mee, hoor.' Fritzi greep een hoekje van de chipszak beet en trok er zo hard aan dat de zak scheurde en de inhoud verspreid in het hooi belandde.

'Zo! Eet dit op en je hebt voorlopig meer dan genoeg weerstand!' zei Kaya tegen Reni.

'Jij trok veel te hard aan die zak!' riep Reni tegen Fritzi.

Fritzi haalde haar schouders op.

'En hoe is het met Floris?' Cindy gaf het nog niet op.

'Hoe het met hem is? Weet ik veel!' antwoordde Fritzi kribbig. 'Hij ziet er goed uit, is zeventien en heeft een vriendin!'

'Nee toch!' riepen de meiden als uit één mond.

'Wel,' zei Fritzi.

'Wat een idioot,' vond Kaya. 'Weet hij wel waar hij mee bezig is?'

'Niet iedereen heeft het zo goed als jij!' Fritzi wierp haar een blik toe, waardoor Kaya opeens heel ijverig chips uit het stro begon te vissen.

Het was stil en ze voelde dat iedereen naar haar keek. Ten slotte keek ze op. Inderdaad. Ze zaten te wachten.

'Oké, meiden, helaas klopt die opmerking niet. Hij vindt

de cupmaat van mijn zus nog steeds spannender dan mijn hele uiterlijk!'

'Hmm!' Cindy dacht even na. 'Wat vind je van een toverdrank?'

'Hou op met je toverdrank.' Reni krabde op haar hoofd. 'Zoiets gebeurt alleen in kinderboeken. Een klap op zijn kop moet hij hebben, dan wordt hij wakker.'

'Stil eens,' zei Fritzi opeens en ze luisterde.

'Wat?' Reni hield haar hoofd schuin.

'Ik hoor iemand roepen!'

'Ja hoor! Werkt de toverdrank nu al?' plaagde Kaya, maar ze oogstte alleen maar een gezamenlijk 'Ssst!'

Kaya spitste ook haar oren. 'Dat is Claudia!' zei ze nadat ze het roepen opnieuw hadden gehoord.

'Ja, en ze roept jouw naam!' voegde Reni eraan toe.

Iedereen keek haar aan en Kaya kreunde. 'Waarom moet ze mij toch altijd hebben?'

Ze grijnsden allemaal en Reni haalde haar schouders op. 'Ze vindt je vast heel erg aardig!'

'Onzin!' Kaya stond op. 'Ik ga wel even kijken.'

Claudia stond haar op het erf op te wachten. 'We hebben net de nieuwe paarden laten lopen, maar de pony doet alleen maar gek!' zei ze.

'Hoe bedoel je?' wilde Kaya weten.

'Nou, hij is meteen op de tribune geklommen en het kostte aardig wat moeite om hem weer naar beneden te halen.'

'Op de tribune geklommen?' Kaya keek Claudia nietbegrijpend aan. 'Welke tribune?'

'De balen hooi die we voor de kerstshow hebben opgestapeld.'

'Is hij daarop geklommen? Wat raar!'

'En het lekkers waarmee we hem naar beneden hadden gelokt, heeft hij als beloning gezien voor wat hij had gedaan. Daarna klom hij onmiddellijk weer naar boven!'

Kaya schoot in de lach. 'Dat is wel heel slecht!' zei ze proestend.

'Nou, zo erg was het nou ook weer niet,' zei Claudia, die nu ook moest lachen. 'Maar hij is heel speels en gedraagt zich als een clown. Trix geeft nu les in grondwerk en ze wil zo meteen met hem aan de slag gaan, als je dat wilt. Misschien vindt hij het leuk!'

Dat liet Kaya zich natuurlijk geen twee keer zeggen!

Bij het grondwerk ging het vooral om de concentratie van de paarden. Bij de eenvoudige oefeningen moest een paard op bepaalde tekens van de mens leren letten. In stap moesten ze op een teken van de ruiterhand blijven staan, of weer doorlopen. Later kwam de Spaanse pas erbij en de diepe buiging, en tot slot het gaan liggen. De hengsten van Trix steigerden zelfs op commando en liepen een stukje op hun achterbenen, of gingen – met de ruiter op hun rug – liggen en dan weer staan. Ze waren bijna klaar voor het circus.

Met Dreamy had Kaya ook al een cursus bij Trix gevolgd, maar die pony was een echte macho. Hij moest altijd nog één stap zetten als hij het teken voor 'stoppen' kreeg. En als hij weer moest doorlopen, telde hij eerst in alle rust tot drie. Het was zoals in het parcours: als hij wilde was hij fantastisch, maar als hij geen zin had, was hij niet vooruit te branden. Hij had de eigenzinnigheid van een teckel en daar konden alle trucs van de wereld niets aan veranderen.

Als Sir Whitefoot zo'n clown was als Claudia beschreef, dan kon het nog leuk worden.

Kaya deed hem een halster om, nam hem aan de teugel en liep met hem de bak in. Trix trainde met Golondrina, een Andalusische merrie. Het dier was nog jong, maar kon al heel veel.

Kaya kwam met Sir Whitefoot binnen en de pony leek het ontzettend spannend te vinden. Golondrina maakte net een buiging, ze strekte het linkervoorbeen naar voren, knielde op het rechterbeen en liet haar hoofd diep naar beneden hangen. Toen ze uit haar geslaagde buiging weer omhoogkwam, kreeg ze van Trix, die altijd haar zakken vol lekkers had, een beloning.

'Laat hem maar vast warmlopen!' riep ze tegen Kaya.

Kaya probeerde het, maar de pony wilde niet. 'Hij wil liever kijken!' riep ze.

'Laat hem dan maar kijken!' antwoordde Trix.

Golondrina ging op een teken liggen en weer staan, waarop Trix in haar zak greep. De merrie strekte haar mooie hals. Ze keek langs haar trainer naar Sir Whitefoot, die haar ook aankeek.

'Let op, die worden nog verliefd op elkaar,' riep Trix lachend en ze klopte de schimmel op haar hals. 'Als je wilt, mag je hierheen komen, dan laat ik Golondrina wegbrengen.'

Kaya was gespannen.

De pony keek eerst naar Trix, toen naar haar zweep en

ten slotte naar haar uitpuilende jaszak. Het laatste was voor hem reden genoeg om dichterbij te komen.

Trix grinnikte en riep de eigenaresse van de merrie. De vrouw kwam en nam Golondrina mee.

'Zo, laten we eens kijken!' Trix liep eerst een ontspannen ronde met de pony. Toen liet ze hem stilstaan en raakte ze met de zweep lichtjes zijn voorbenen aan. Hij moest voelen dat de zweep geen gevaar betekende, en dat ze hem alleen maar vertrouwd wilde maken met die aanraking. Zijn hoofd ging naar beneden en hij keek naar wat Trix daar deed. Toen ging hij plotseling liggen en strekte zijn hals in afwachting van de beloning.

Kaya en Trix keken elkaar aan.

'Dat heeft hij van Golondrina afgekeken!' riep Kaya.

Trix schudde haar hoofd. 'Zoiets heb ik nog nooit meegemaakt!'

Ze gaf hem de beloning. De pony stond op, schudde het zand uit zijn vacht en wachtte op nieuwe instructies.

'Hmm!' Trix keek hem aan. 'Wat zullen we eens met je doen, beestje?'

'Probeer nog eens iets,' zei Kaya. 'Misschien aan de lange teugel laten lopen?'

Dat had hij niet kunnen afkijken. Ging de hand met de teugel naar boven, dan betekende dat 'blijf staan'. Ging de hand weer omlaag, dan betekende dat 'doorlopen'. Sir Whitefoot draaide zijn oren naar voren en keek geïnteresseerd. Drie rondes later wist hij wanneer hij moest blijven staan en wanneer hij weer door mocht lopen.

'Dit is ongelofelijk!' Trix bleef bij hem staan, gaf hem klopjes op zijn hals en beloonde hem met iets lekkers.

'Denk je dat de paarden uit een circus zijn losgebroken?'

Kaya liep naar hen toe. 'Misschien werken ze in een circus, maar komen ze nu uit hun winterverblijf. Zijn de anderen ook zo?'

'Ik heb ze alleen zien lopen. Maar dat zijn heel gewone paarden, zou ik zeggen. Niets bijzonders. Helemaal niet in hun huidige toestand.'

'Straks komen de dierenarts en de smid. De familie Waldmann betaalt dat!'

'Dat noem ik een nobel gebaar!' Trix knikte goedkeurend. 'Laten we nog iets proberen...' Ze gaf een tikje met de zweep tegen het linkervoorbeen van de pony. Hij zou erop moeten reageren met het optillen van dat been. Het was een eenvoudige concentratieoefening onder het motto: waar voel ik iets en hoe moet ik reageren?

Sir Whitefoot strekte zich naar voren, terwijl zijn achterbenen naast elkaar bleven staan, en maakte zich lang als een kat die zich uitrekt. Hij vergat zijn linkerbeen uit te strekken en op zijn rechterbeen te knielen, of had dat nog niet geleerd. Hoe dan ook, het zag er al bijna als een buiging uit en hij strekte opgewekt zijn hals om de beloning te krijgen.

'Dit is een wonderdier,' zei Trix vastbesloten. 'Maar goed dat hier geen piano staat, want die zou hij vast ook nog willen uitproberen!'

Kaya schoot in de lach. 'Ik vind hem lief,' zei ze en ze sloeg haar armen om de hals van de pony.

'En niet alleen dat,' zei Trix, die dierpsychologie studeerde. 'Dit is een heel slim beestje. Hij weet hoe hij harten moet veroveren!'

'Bedoel je dat hij berekenend is?' vroeg Kaya al bijna een beetje teleurgesteld.

'Nee, ik denk dat hij een goed ontwikkeld gevoel heeft en een overlevingsstrategie. Wie weet wat hij allemaal heeft meegemaakt.'

'Claudia denkt dat hij een jaar of zes is.'

'Ja, weet je,' zei Trix, 'dat kan al oud zijn, maar ook nog vrij jong. Het ligt eraan waar je opgroeit.'

Samen brachten ze hem terug naar zijn box en ze keken toe hoe hij meteen naar binnen ging en deed alsof hij nooit ergens anders was geweest.

'Zal ik je iets verklappen,' zei Kaya zachtjes en Trix boog zich naar Kaya toe.

'Zal ik je vertellen dat ik het al weet?' fluisterde Trix terug en ze keken elkaar samenzweerderig aan. 'Je wil zelf op onderzoek uitgaan.'

Kaya knikte. 'Maar hoe?'

Ze stonden naast elkaar over het onderste deel van de boxdeur van Sir Whitefoot geleund. De pony hield hen in de gaten, terwijl hij genietend van zijn hooi stond te knabbelen.

'Ik weet goed de weg in bijna alle maneges in de omgeving, omdat ik overal lesgeef...' begon Trix.

'Weet je misschien...' viel Kaya haar ademloos in de rede.

'Nee, maar ik geloof dat we er snel achter kunnen komen! Zo'n grote afstand hebben de paarden niet afgelegd, anders hadden we er eerder over gehoord. Als we binnen een omtrek van zo'n twintig of vijfentwintig kilometer

'Natuurlijk!' zei Kaya en ze liet hem achter bij de pony.

De jeep van Trix was oud en ze vervoerde er van alles mee. De achterbank hield ze omgeklapt, en in de grote laadruimte lag altijd veel stro. Niet alleen omdat ze met de jeep stro en hooi vervoerde, maar ook omdat het voor Tsjako, haar hond, warm en knus was. Tsjako was een kruising tussen een faraohond, een herder en een husky. Net zoals de hengsten kende hij enkele trucs waarmee hij de mensheid kon verbazen. Hij kon bijvoorbeeld grijnzen op commando, wat er met zijn lange haaientanden zo angstaanjagend uitzag dat hij iedereen er gegarandeerd mee op de vlucht joeg.

Vandaag was de hond thuisgebleven en zo konden de meiden Tsjako's ligplaats innemen.

'Ik ben bang dat dit niet volgens de verkeersvoorschriften is,' zei Trix, toen ze de achterklep van de jeep dichtsloeg.

'We gaan een goede daad verrichten,' zei Reni. 'Ik vind dat verkeersvoorschriften nu geen rol moeten spelen!'

Het klonk ernstig, maar iedereen schoot in de lach.

Kaya ging voorin naast Trix zitten. 'Als ik een politiepet zie, bedekken jullie je gewoon onmiddellijk met stro,' zei ze over haar schouder.

Ze kreeg een harde niesbui als antwoord.

'Ik geloof dat ik een hooiallergie heb,' zei Cindy met een verstopte neus.

Iedereen barstte weer in lachen uit.

'Hooiallergie! Je zit toch ook in ons nest op de hooizolder?' Minka keek Cindy aan en tikte op haar voorhoofd. 'Waarschijnlijk heb je alleen hier stro zitten!'

Cindy gaf haar vriendin een por in haar zij en moest onmiddellijk weer niesen.

'Hooiallergie?' vroeg Fritzi en ze haalde haar neus op. 'Het zal een stofallergie zijn, want zoiets kent Cindy van huis uit niet!'

Iedereen lachte weer, omdat Cindy's moeder bekendstond om haar voortdurende schoonmaakwoede.

Toen ze voor de derde keer nieste, keek Trix in de achteruitkijkspiegel. 'Weet je zeker dat je mee wilt, Cindy?'

Cindy viste een papieren zakdoekje uit haar broekzak en knikte.

'Dan gaan we,' zei Trix en ze gaf gas.

'Waarheen?' vroeg Kaya.

'Ik zat te denken aan drie grote boerderijen met paarden. De mensen van één van die drie boerderijen zijn nogal bijzonder. Ze lijken een samenzweerderig groepje vrienden, maar ze bedoelen het goed. Ze zouden een paard nooit verwaarlozen. Maar ze horen veel. Misschien weten zij iets.'

'En daar stormen wij gewoon naar binnen?' vroeg Reni.

'We zien wel,' antwoordde Trix over haar schouder. 'Vandaag is het zondag. Ze zitten vast en zeker bij elkaar. Ik geloof dat ze er met hun kinderen ook bijna allemaal wonen, hoewel ze niet allemaal familie van elkaar zijn.'

'Dat lijkt me juist leuk,' zei Minka. 'Geen leraren meer, geen school, alleen grote stallen met paarden erin!'

'En je moeder die je lesgeeft?'

'Iieehl, dat lijkt me gruwelijk,' zei Reni. 'Maar ik geloof dat het in Amerika wel bestaat!'

'Dan maar liever leerplichtig!' Minka knikte vastbesloten. 'Ik ga er al vandoor als mijn moeder me iets wil uitleggen.'

'Ik kan er ook niet tegen,' viel Fritzi haar bij.

'Nou, mijn moeder is beter dan mijn vader. Die heeft nul geduld. Als ik het niet meteen snap, slaat hij op tilt!'

Iedereen keek naar Cindy. Ze zat tegen het achterraam geleund en hield haar zakdoek tegen haar neus gedrukt.

'*Jouw* vader slaat op tilt?' Reni moest lachen. 'Niet slecht!'

Cindy's vader was de dominee van de gemeente en hij stond juist bekend om zijn geduld.

Cindy haalde haar schouders op. 'Kinderen van een schoenmaker lopen ook vaak met gaten in hun zolen, zeggen ze. Of kinderen van een dokter, of een tandarts, of wat dan ook,' legde Cindy uit. 'Kijk maar naar Bert. Die heeft ook vaak kiespijn.'

Dat klopte. Op de een of andere manier betekenden de beroepen van ouders niets voor hun kinderen. Hoewel... Kaya dacht na. Het kwam haar wel goed uit dat haar ouders een restaurant hadden. Als ze trek had, vond ze altijd wel iets lekkers. Ze had haar ouders goed uitgekozen, bedacht ze tevreden.

Trix sloeg een brede bosweg in, die bezaaid was met grind en vol zat met diepe kuilen.

'Waar gaan we heen?' vroeg Fritzi. 'Naar het heksenhuis van Hans en Grietje?'

De jeep hobbelde door de kuilen en gaten. De veren kreunden en steunden en de meiden jammerden.

'Hè, wat is die bank hard!' riep Fritzi. 'Dit is nog erger dan rijden op Dagmar!'

Dagmar was een fjordenpaard dat bij Claudia in pension was. Op dat paard werd elke ruiter bang voor het doorzitten.

'Gewoon soepel meegaan in de bewegingen van de auto,' zei Trix. 'En als we blijven steken, moeten jullie duwen!'

De sneeuw die in de nacht was gevallen, was op de straten al lang verdwenen. Maar hier in het bos lag het er nog steeds. Resultaat: een zeer modderig, glibberig wegdek.

'Je hebt toch vierwielaandrijving, we hoeven heus niet te duwen!' Kaya had geen zin in een tweede avontuur in de kou. Vandaag wilde ze het warm en gezellig houden.

Maar toen kwamen ze bij een open plek in het bos. Ze zagen een omheind stuk land, met daarop een huisje met een reusachtige schuur ernaast.

'Jeetje!' zei Kaya verbaasd. 'Ik wist helemaal niet dat er zoiets bij ons in de buurt was...'

'Het lijkt inderdaad op een heksenhuisje,' vond Fritzi.

'Schieten ze niet?' wilde Minka weten.

Trix schudde lachend haar hoofd. 'Ze zijn wel bijzonder, maar heel vreedzaam,' antwoordde ze. 'Ze houden alleen niet zo van onverwacht bezoek. Ze willen liever onder elkaar blijven.'

'Hoezo? Springen ze daar dan in hun blootje rond?' Minka boog zich naar voren.

'In die kou? Ben je gek geworden?' riep Kaya lachend en ze duwde Minka weer naar achteren.

Trix parkeerde de jeep achter de grote schuur, waar nog drie soortgelijke, oude roestbakken stonden.

'Ben je lid van deze jeepclub?' vroeg Reni, waardoor Trix in de lach schoot.

'Je zou het bijna denken,' zei ze, 'maar dit alles ligt me niet zo. Hoewel het wel een bepaalde romantiek uitstraalt.'

De vriendinnen wierpen elkaar niet-begrijpende blikken toe en stapten toen uit. Samen liepen ze naar de grote, afgesloten poort van de schuur, waar een smalle deur in zat.

'Gaan we niet naar het heksenhuisje?' vroeg Fritzi.

'Nee,' antwoordde Trix zachtjes. 'Ze wonen eigenlijk altijd hier.'

Ze duwde de smalle deur in de poort voorzichtig open en gluurde naar binnen.

'Wat is er?' vroeg Kaya ongeduldig.

Trix draaide zich om en legde haar wijsvinger op haar lippen. 'Ssst,' zei ze zachtjes.

'Waarom ssst?' fluisterde Kaya.

Trix herhaalde het gebaar en stapte toen door de deur. Ze werd in ganzenpas gevolgd door de andere vijf.

Binnen moesten ze eerst aan het schemerige licht wennen en vooral aan de bedompte lucht. Maar toen zag Kaya wat Trix met bijzonder had bedoeld...

De grote schuur was een paardenloopstal, maar aan de meubels en bedden te zien woonden er ook mensen. Het geheel deed op zijn zachtst gezegd nogal bizar aan. Cindy's moeder zou in elk geval zijn flauwgevallen. In het midden zagen ze een grote eettafel, waaraan een paar volwassenen zaten te kaarten. Tegen de muren stonden bedden. En overal liepen paarden, kippen en honden.

Een van de honden had gemerkt dat er indringers stonden en hij kwam blaffend en tegelijkertijd kwispelend op hen af stormen.

Trix bukte zich naar het hondje. 'Ha, leukerd,' zei ze, hoewel het beest allesbehalve leuk was. Hij was gruwelijk lelijk, maar hij streek vlijend langs Trix' benen en hield op met blaffen.

'O, Trix, wat een eer!'

Een man die eruitzag als een boer stond op van tafel, duwde een paard dat hem in de weg stond opzij en kwam naar hen toe. Hij deed Kaya denken aan een film die ze in de bioscoop had gezien. Liepen ze in *Braveheart* ook niet zo rond? Linnen hemd, vest, werkbroek en met leer omwikkelde kuiten? Deden ze soms alsof ze in de middeleeuwen leefden? Zijn gezicht paste er in elk geval helemaal bij. Zijn grote baard en lange haar bedekten zijn gezicht voor zo'n groot deel dat zelfs zijn ogen maar moeilijk te zien waren. De man had handen als kolenschoppen. Hij drukte iedereen de hand. Het graan werd hier vast nog handmatig gedorst en de vrouwen hadden natuurlijk spinnenwielen en weefgetouwen.

Kaya kneep stiekem even in haar arm, om zeker te weten dat ze niet droomde.

Een vrouw, die nu ook opstond, had een wijde, lange rok aan en een dikke wollen doek om haar schouders. Haar leeftijd was moeilijk te schatten. 'Welkom,' zei ze en ze begroette hen met een hoofdknik. 'Kom dichterbij!'

Trix stelde de meisjes voor. Daarna keken de Wilde Amazones nieuwsgierig om zich heen. Inderdaad, mens en dier, alles bij elkaar.

'Willen jullie een glas water?' vroeg de vrouw en Cindy kon een proestlach nog net inhouden.

'Water?' piepte ze.

Kaya trapte haar op haar tenen. 'Heel vriendelijk van u,' zei ze, 'maar nee, dank u wel.'

De vrouw knikte. Ze droeg haar lange haar los onder een lichte hoofddoek. Ze was niet opgemaakt en had een mooi, vol gezicht.

Terwijl Trix uitlegde waarom ze daar waren, keek Kaya naar de tafel. Ze zag nog zes volwassenen zitten. Een paar kinderen staarden haar vanuit een hoek van de schuur aan. Ze wilde graag weten wat die kinderen daar deden. Welk speelgoed was er in de middeleeuwen voor kinderen? Houten wagens met gesneden houten paarden ervoor? En zouden ze altijd zo leven? Of was dit alleen maar vermaak voor het weekend?

Duizend vragen schoten door Kaya's hoofd en ze hoorde daardoor bijna niet wat de vrouw vertelde. Maar toen verstond ze een paar flarden van zinnen: '...een mooie pony, een vos... ja een brutaal, speels ding...'

'Jullie horen het,' zei Trix tegen de meiden.

Kaya had niet goed geluisterd, maar kon ze dat nu toegeven? De anderen knikten. Het was net zoals op school: als je iets niet had gehoord, was je de sukkel. Nu moest ze straks weer vragen hoe het zat.

'Goed, dan kunnen we weer gaan,' zei Trix. Ze gaf de man en de vrouw een hand. 'Hartelijk bedankt. U hebt ons echt geholpen,' voegde ze er nog aan toe. Toen liep ze weer naar de kleine deur in de poort.

Buiten haalden ze allemaal eerst heel diep adem en Cindy moest niesen.

'Wat was het warm daarbinnen,' zei Fritzi verbaasd en ze trok haar jack wat dichter om zich heen. 'Terwijl ze vast geen verwarming hadden!'

'Bij de achterwand is een open vuurplaats, waar ze in dit seizoen altijd hun eten klaarmaken,' zei Trix. Ze opende de achterklep voor de meiden. 'En de dieren, het hooi en stro zijn ook warmtebronnen!'

Kaya was diep onder de indruk. 'Maar dat kan toch niet,' zei ze, terwijl ze in de jeep kroop. 'Ik bedoel, in deze tijd kunnen ze toch niet leven zoals vijfhonderd jaar geleden? Of doen ze het alleen maar voor de lol, zoals mensen ook cowboy en indiaan spelen?'

Trix haalde haar schouders op. 'Ik zei toch al dat ze bijzonder zijn, maar ze zijn in elk geval aardig. Ze vinden deze vorm van leven mooi. Ze bakken zelf hun brood en halen hun water uit de bron. Wat maakt het uit? Anderen hebben ook hun grillen. En zij doen niemand kwaad.'

Kaya knikte. 'En hoe zit het nou met de paarden?'

'Heb je dat weer niet gehoord, Dreamy?' plaagde Reni. 'Ze hebben de vijf paarden een poosje in pension gehad, maar de eigenaars lieten niet meer van zich horen en hebben ook niet betaald. Na drie maanden hebben de eigenaars de dieren weer opgehaald. Niemand weet waar ze heen zijn gebracht. Dat is nu drie maanden geleden.'

'Oktober, november, december,' telde Fritzi op haar vingers.

'En ze kenden die mensen niet?' wilde Kaya weten.

'Jawel,' zei Trix. 'Ze hadden een achternaam genoemd, maar de telefoon was afgesloten en het adres klopte niet.'

'En toen hebben ze hen de paarden zomaar weer op laten halen? Ik had de politie erbij gehaald.'

'Dat geloof je toch zelf niet?' Minka fronste haar wenkbrauwen. 'Dat die mensen vrijwillig de politie in huis halen? Open vuur in de stal en weet ik wat nog meer? Ze zullen drie kruisjes geslagen hebben en daarmee was het goed!'

Trix startte de auto.

'Niedermeier heetten ze. Dat is geen naam die vaak voorkomt, of wel? Daar zou je toch verder mee moeten kunnen komen.'

'En als die naam ook verzonnen was, net als het adres?'

Trix draaide de jeep. Er stonden oude landbouwmachines, een grote hooiwagen, een ploeg, een eg en een koets met een groot dekzeil eroverheen. Alles stamde duidelijk uit de tijd van de grootouders van deze mensen.

'Zouden ze daar 's zondags mee naar de kerk rijden?' zei Reni een beetje spottend.

Fritzi keek haar aan en riep: 'Jij bent gek!' en ze begon hardop nog eens over de leefwijze van de mensen na te denken. 'Altijd beter dan 's zondags maar wat rondhangen,' zei ze vastbesloten.

'Over de kerk gesproken.' Trix keek in de achteruitkijkspiegel naar Cindy. 'Als dominee kent je vader waarschijnlijk ook de probleemgevallen uit de omgeving. Mensen die anders zijn, en zich niet als "gewone" mensen gedragen?'

'Dat denk ik wel,' antwoordde Cindy. Ze draaide een streng rood haar om haar wijsvinger. 'In elk geval werkt hij met verschillende sociale diensten samen. Misschien weet hij iets. Er is vast een database of een lijst met namen of zo!'

Trix knikte. 'Goed. Gaan we dan nu naar je vader of naar de volgende paardenboerderij?'

'Naar de volgende paardenboerderij,' klonk het als uit één mond.

Trix grijnsde. 'Dit schijnen jullie wel leuk te vinden,' zei ze.

'Altijd spannender dan tv-kijken,' vond Minka.

De boerderij waar ze nu heen reden lag vlak aan de landweg waarop ze de paarden 's nachts hadden aangetroffen.

'Wat voor type is deze boer?' wilde Kaya weten.

'Hij is zo'n boer die van zijn koeienstal een paardenstal heeft gemaakt. Nu melkt hij geen koeien meer, maar melkt hij paardeneigenaars uit!'

De meisjes lachten, maar Reni slaakte een diepe zucht. 'Jeetje, dan kan ik me voorstellen hoe de paarden daar zijn ondergebracht. Dat heb ik een keer in een paardenbedrijf gezien toen we op vakantie waren. Daar stonden de paarden in hun eigen mest, totdat die bijna tot aan het plafond reikte. En dan komt er blijkbaar iemand met een graafmachine, haalt alles eruit en als de paarden dan weer hun box in gaan, moeten ze een halve meter naar beneden springen op de betonnen vloer, tot de mest zich weer begint op te stapelen. Ik wilde de dierenbescherming waarschuwen, maar ze zeiden tegen me dat dat volkomen normaal was.'

Trix probeerde de kuilen in de landweg te ontwijken, wat nauwelijks lukte. 'Ik denk dat het meer aan de eigenaars van de paarden ligt,' zei ze. 'Stel je voor: boxen zijn al een hele vooruitgang. Vroeger stonden paarden in stands in een grote stal, heel dicht bij elkaar met een soort ijzeren schot ertussen. Ze konden niet naar links of naar rechts, ze konden alleen maar een halve meter voor- en een halve meter achteruit. Verschrikkelijk toch? Dat mag niet meer.'

'Maar ze moesten overdag waarschijnlijk zo hard ploeteren dat het ze niet meer uitmaakte waar ze 's nachts sliepen.' Reni drukte het stro in haar rug recht. 'Drieëntwintig uur in een kleine box staan is ook niet zo geweldig. Wachten op dat ene uur per dag, dan een topprestatie leveren en weer terug in de box. Zoiets is toch belachelijk?'

'Niets is volmaakt,' zei Kaya, terwijl ze zich naar de anderen omdraaide.

'Behalve Chris dan,' zong Reni.

Kaya stak haar tong naar haar uit.

De boer deed moeilijk. Het was zondag, hij wilde rust aan zijn hoofd en niets horen over paarden die uitgebroken waren. 'Bij mij gaat geen paard ervandoor als ik dat niet wil,' zei hij en aan zijn rode hoofd te zien, geloofden de vijf vriendinnen dat onmiddellijk. Hij duwde met een klap de voordeur van het woonhuis achter hen dicht.

Trix en de meiden stonden aarzelend op het erf, ze durfden niet uit eigen beweging de stallen binnen te gaan.

'Wat zouden we daar ook vinden?' vroeg Fritzi zich hardop af. 'Al zouden er vijf lege boxen of stands zijn,' ze keek Trix even aan, 'dan weten we nog niet of ze inderdaad hier zijn uitgebroken.'

'Die zijn niet uitgebroken, hij heeft ze eruit gelaten!' zei Kaya met vaste stem. Ze keek om zich heen. Het was een van die typische boerderijen met een woonhuis, een grote schuur en aangrenzend de stallen. 'Als die Niedermeiers hun paarden hierheen hebben gebracht en daarna drie maanden niets van zich lieten horen en ook niet betaalden, dan heeft deze boer gegarandeerd de deuren opengezet! Daar durf ik om te wedden!'

Trix keek naar het huis. 'Hij staat naar ons te kijken,' zei ze zachtjes. 'Laten we instappen en wegrijden.'

Kaya wierp een blik op het huis en zag inderdaad een gordijn bewegen. 'Als hij ons begluurt, dan heeft hij misschien iets te verbergen. Ik zou dus met mijn vermoeden gelijk kunnen hebben,' fluisterde ze. 'Waar rook is, is vuur.'

'Amen,' zei Cindy, maar niemand lachte.

Ze reden terug naar de landweg. Trix stuurde de jeep naar de brede berm van de weg en stopte. 'Dit is nog geen vijf kilometer,' zei ze. 'De paarden konden dwars door de weilanden rennen. Er zijn geen omheiningen, geen hekken... Ik denk dat Kaya gelijk heeft. We kunnen overwegen of we de stallen vanaf de achterkant willen binnensluipen, om de boel daar zelf te bekijken. Wat vinden jullie?'

Kaya voelde dat haar hart sneller ging kloppen. 'Hij had buiten een paal staan met kettingen eraan. Daar bindt hij de paarden aan vast. Zo kunnen ze grazen, maar niet weglopen.'

'Misschien is er aan de achterkant ook een weg die naar de boerderij loopt.' Reni boog zich naar voren. 'De meeste stallen hebben ook aan de achterkant een deur, niet alleen aan de voorkant.'

'Ja ja. En binnen zit een rottweiler die gek is op bezoek.' Fritzi trok een gezicht. 'Of die oude knar komt met zijn jachtbuks.'

'Bel hem op en vraag of hij toevallig een paar boxen vrij heeft, dan weten we het ook,' stelde Cindy voor.

'Dat is helemaal niet zo'n gek idee!' Trix draaide zich naar haar om. 'We zouden iemand moeten hebben die geïnteresseerd overkomt en de stallen wil bekijken.'

'Mijn vader!' zei Minka onmiddellijk en iedereen knikte. Klaus Zonnig was een forse man die betrouwbaar overkwam.

'Goed idee,' prees Trix. 'En ik vraag aan mijn vader of hij ooit van de naam Niedermeier heeft gehoord. Iemand die rondtrekt en om de drie maanden zijn paarden in een andere stal onderbrengt, moet daar een reden voor hebben!'

Iedereen knikte opnieuw.

'Dan hebben we de zaak morgen misschien al opgelost,' zei Kaya en ze dacht aan Sir Whitefoot. Als hij inderdaad een vrijgelaten pony was, dan moesten er voor zulke gevallen toch bepaalde wetten zijn? Dat wist mevrouw Waldmann vast, die was tenslotte juriste. En dan kon ze ook meteen te weten komen hoe oud en gerimpeld 'de tantes' van Chris waren.

Ze begon een deuntje te fluiten.

Trix keek haar aan met een plagende blik in haar ogen. 'Jij verheugt je vast al op Sir Whitefoot, hè? vroeg ze lachend.

'Ook!' antwoordde Kaya en ze kon een glimlach niet onderdrukken.

Kaya keek naar Sir Whitefoot en toen naar Dreamy. Met beide pony's ging het goed. Charlotte zou vanmiddag op Dreamy rijden, dus er was voor haar geen werk meer.

De grote vraag was hoe ze Simone Waldmann te spreken kreeg, zonder dat het opviel dat het haar eigenlijk vooral om Chris ging. Kaya had van nature een grote fantasie, maar de familie Waldmann woonde ruim tien kilometer verderop, aan de rand van een grotere stad. Daar reed je niet zomaar langs om 'Hoi!' te zeggen als je niet was uitgenodigd. En ze was niet uitgenodigd.

Nog niet.

Kaya keek vanuit Dreamy's box hoe haar vriendinnen naar de kleine kantine gingen. Dat zou zij natuurlijk ook kunnen doen...

Maar ze was niet iemand die het vlug opgaf.

Het kwam er op aan dat ze Simone te pakken kreeg en niet Chris. Kaya trok haar mobiel tevoorschijn en liep naar de verste hoek van de box. Zo wist ze zeker dat geen mens haar kon horen.

Ze toetste het nummer in van Simone. Haar hart bonkte zo hard, dat ze ervan overtuigd was dat degene die opnam het kon horen. Ze keek naar Dreamy en zag dat de pony met open ogen stond te dutten.

'Met mevrouw Waldmann,' hoorde ze en opeens wist ze niet zeker meer wat ze zou zeggen.

'O, mevrouw Waldmann, het spijt me als ik u stoor. Met Kaya.'

'Hé, Kaya. Nee, dat is niet erg. Wat is er?'

Kaya had gehoopt dat Simone op haar hint zou reageren en wellicht iets over het o-zo-belangrijke theebezoek zou vertellen. Maar nee, dat gebeurde niet.

'We zijn de eigenaars van de vijf paarden op het spoor gekomen!'

'O ja? Wat interessant. Vertel!'

Kaya vertelde kort over de middeleeuwse boerderij en de geïrriteerde boer en Simone scheen het allemaal heel grappig te vinden.

'Als Sir Whitefoot echt een weggestuurde pony is,' vervolgde Kaya, 'zou ik hem dan – volgens de wet – mogen houden?'

'Laat ik het zo zeggen: als de eigenaar zijn eigendom met opzet heeft opgegeven, is het een onbeheerde zaak. Dan kun jij hem dus houden. En zo zit het ook als de eigenaar niet te vinden is. Denk aan een kat zonder baasje of een achtergelaten hond. Maar als het dier alleen maar is weggelopen, dan moet je het teruggeven zodra de eigenaar zich meldt. Als hij het dier dus zoekt.'

'O, hmm!' Kaya vergat haar mond dicht te doen. 'Dan moeten we dus ophouden met zoeken! Ik wil hem niet teruggeven!'

Ze hoorde Simone lachen. 'Er is vast wel een oplossing!'

Die kon alleen maar duur zijn. Wat een onzin! Ze dacht aan het bureau met gevonden voorwerpen. Als de eigenaar zich niet binnen een bepaalde tijd meldde, werd het voorwerp bij opbod verkocht. En als niemand verder mee bood, dan was het een koopje, een reusachtige winst voor de kleine portemonnee. Misschien was dat een idee... Dan kon ze Sir Whitefoot voor één euro kopen! Dat zou geweldig zijn. Ze moest Minka en Cindy onmiddellijk tegenhouden!

'Kaya, ben je daar nog?'

O ja, ze was nog in gesprek!

'Ja,' zei ze. 'Ik ben alleen een beetje... Ik moet, geloof ik, eerst goed nadenken. Is Chris trouwens thuis?'

Dat was weer typisch Kaya. Wat ze absoluut niet wilde vragen, waar ze al duizend smoezen voor had bedacht, flapte ze er nu gewoon uit.

'Hij is er, maar hij heeft bezoek!'

Fan-tas-tisch!

'O, nou ja,' zei ze mat. 'Zo belangrijk is het niet.'

'Fijne avond, Kaya! En maak je geen zorgen om die pony. Alles loopt zoals het loopt!'

Kon ik maar even in de toekomst kijken, dacht Kaya. Ze verbrak de verbinding. Shit! Shit! Ze was zo stom, zo niet cool, zo hysterisch, ze had alles verpest! Chris had bezoek en Sir Whitefoot zou weer weggaan. Wat een geweldige balans! Het was om te huilen.

Kaya besloot naar huis te gaan. Op zondagmiddag was er altijd gebak. Ze zou bij haar vader in de keuken gaan zitten en zich rond eten aan een dikke roomsoes. En misschien nog een lekker stuk kwarktaart tot ze er misselijk van werd en ze een reden had om vroeg naar bed te gaan. Want met welk argument moest ze Minka en Cindy tegenhouden? Er was geen enkel goed argument. Alleen haar egoïstische gedrag.

Zo voelde ze zich op dit moment, maar ze kon het tegen niemand zeggen. Niet alleen omdat het een vervelend licht op haar wierp, maar ook omdat ze er morgen misschien weer heel anders over dacht. Ze was ontzettend besluiteloos. Haar moeder gaf de puberteit de schuld, maar Kaya wist wel beter. Het was haar karakter.

Kaya moest naar huis lopen. Dat was het nadeel als je door je moeder met de auto was gebracht. De koude lucht bracht haar echter wel op frisse gedachten, merkte ze. Hoe had Simone het ook alweer gezegd: Alles loopt zoals het loopt! Nou, ze wachtte het met spanning af.

Het restaurant en het woonhuis waren aan elkaar gebouwd. Dat was praktisch voor de ouders, omdat ze hun kinderen en het werk onder één dak hadden. Voor Kaya en Alexa was het daarentegen vaak minder leuk. Als hun ouders bijvoorbeeld op vrije dagen plotseling bedachten dat ze nog iets in het restaurant moesten doen en dan urenlang wegbleven.

Kaya liep door de achterdeur de keuken binnen. Haar vader vulde net een gans met brood, kruiden en appels. Hij liep in een jeans met een polo en daaroverheen een schort. Verbaasd keek hij op toen ze binnenkwam. 'Wat een bijzondere gast,' zei hij met een grijns.

Kaya was dol op haar vader. Hij had nog altijd iets kwajongensachtigs. Hij kwam jonger over dan de vaders van haar vriendinnen en had eigenlijk altijd een goed humeur.

'Hopelijk is het niet alwéér Lisa, mijn lievelingsgans,' zei ze lachend. Ze liep naar hem toe, pikte iets van de vulling en stak dat in haar mond.

'Nee, het was Ludwig en mannetjes interesseren je toch niet zo veel, voor zover ik weet!'

'Vergis je niet, pap!' Kaya keek haar vader aan met pretlichtjes in haar ogen.

Toen keek ze een poosje naar het hardlopen op de televisie. Vorig jaar had Kaya's vader voor zijn verjaardag een kleine televisie op een beweegbare arm gekregen. Zo kon hij koken en tegelijkertijd op de hoogte blijven van nieuws en sport.

'Waarom ben je eigenlijk zo vroeg thuis?' wilde haar vader ten slotte weten.

Maar op dat moment ging de zwaaideur naar de eetzaal open en kwam haar moeder de keuken binnen.

'Jij hier?' Dat klonk verrast.

'Jullie doen alsof ik hier nog nooit ben geweest!' riep Kaya verdedigend.

'Op een zondagmiddag?' Karin zocht de ogen van haar man. 'Terwijl er op de manege van alles aan de hand is?'

'Hmm,' bromde Kaya.

'Is er iets met de nieuwe pony?' wilde haar moeder weten.

'Nee hoor, het gaat goed met hem!'

'En met Dreamy?'

Heerlijk als moeders overal over mee willen praten.

'Nee nee, met hem gaat het ook goed. Ik had het koud en ik had zin in iets lekkers.'

Dat klopte tot op zekere hoogte.

'Ach,' zei haar moeder en ze streek haar haar uit haar gezicht. 'Dat komt goed uit. Alexa heeft net gebeld en ze wilde weten wat er nog is. Als je wilt, kun je meteen iets mee naar boven nemen.'

'Voor Alexa?'

Sinds wanneer was ze het dienstmeisje van haar oudere zus?

'En Esther. Ze heeft bezoek.'

Oké, daar was iets voor te zeggen. Esther was Alexa's vriendin. Ze had haar rijbewijs al en ze kende Chris goed. Misschien kon ze nog iets over hem vertellen.

Kaya vroeg om een pot thee. Toen zette ze twee vruchtentaartjes, een punt kwarktaart en drie kleine soezen op een bord. Vervolgens pakte ze een suikerpotje, drie bekers, drie bordjes en drie vorkjes voor het gebak en drie theelepeltjes. Ze zette alles op een groot dienblad.

Ze liep binnendoor naar het woonhuis. Ook zonder de mededeling van haar moeder zou ze in de hal gemerkt hebben dat Esther er was, omdat daar duidelijk de lucht van haar parfum hing. En die lucht was niet lekker en veel te indringend. Kaya walgde er ronduit van.

Ze deed het licht aan en liep langzaam met het grote dienblad de trap op naar de eerste verdieping. Alexa's kamer lag als eerste links in de gang. Haar eigen kamer lag rechts achterin. Zou ze welkom zijn bij de dames?

Kaya klopte zachtjes en hoorde een deftig: 'Ja, binnen!' Alexa dacht waarschijnlijk dat het iemand van het personeel was.

'*It's tea time*!' zong Kaya, terwijl ze de deur openduwde. En wat ze zag was inderdaad een meidenmiddag: brandende kaarsen, wierookstokjes en twee glazen prosecco stonden op het kleine tafeltje tussen de bank en de fauteuil. Ze hadden blijkbaar iets te bespreken. Een nieuwe liefde misschien?

Maar daar kon ze nu geen rekening mee houden.

'Hoi, Esther!' riep ze enthousiast. 'Leuk je weer te zien! Gaat het goed met je?'

Het was duidelijk dat Alexa even van de schrik moest bekomen. 'Waar kom jij vandaan op een klaarlichte zondagmiddag?'

'Zo klaarlicht is het niet meer!' zei Kaya luchtig. Ze zette het blad neer. 'Het is al vier uur. Het begint al te schemeren.' Ze wees naar het gebak. 'Mam vroeg of ik iets naar boven wilde brengen en ik dacht: dan neem ik genoeg mee voor ons alle drie.' Ze keek Esther aan, want Alexa's gezichtsuitdrukking kon ze zich voorstellen. 'Is het oké zo? Hou je hiervan? Er is ook nog appeltaart...'

Esther schudde haar hoofd. 'Nee, dit is lekker! Dank je wel.' Zij reageerde evenmin op het gefronste voorhoofd van Alexa.

Overdreven opgewekt liet Kaya zich naast Esther op de bank vallen. 'Toch mooi, zo'n zondagmiddag in december thuis!' Ze pakte meteen een bordje en vroeg met een blik opzij: 'Een vruchtentaartje, een kwarkpunt of een soes?'

'Nou, mijn keuze staat vast,' zei Esther. 'Ik wil graag zo'n lekker vruchtentaartje!'

'Tot vier minuten geleden was ik ervan overtuigd dat voor jou al een andere keuze vaststond!' plaagde Alexa. Ze pakte een beker en hield hem Kaya voor. 'Thee alsjeblieft!' zei ze.

Kaya knikte gedienstig en schonk thee in voor hen drieën. Daarna liet ze zich met de kwarktaart in een hoek van de bank zakken. 'Zo, en waar waren jullie gebleven?' vroeg ze toen brutaal en erop voorbereid dat ze onmiddellijk de kamer uit zou vliegen.

'Bij de seks!' zei Alexa woedend. 'Maar daar kun jij nog niet over meepraten!'

'O nee? Wie zegt dat?' vroeg Kaya.

Esther schoot in de lach. 'Jij riskeert een nogal dikke lip voor een twaalfjarige!'

'Wil je me beledigen?' vroeg Kaya. Ze nam een hapje van de taart. 'Ik ben bijna veertien, hoor!'

'Je bent pas net dertien, schep niet zo op!'

Soms konden oudere zussen stomvervelend zijn.

'Nou en? Waren jullie toen jullie dertien waren dan nog zo onschuldig?' viel ze boos tegen Alexa uit. 'Toen jij dertien was en ik negen, gedroeg je je alsof jij verantwoordelijk was voor mijn opvoeding!'

'Was ik ook!' Alexa trok een gezicht. 'Ben ik zelfs nog steeds!'

Kaya stond op het punt haar de rest van de kwarkpunt naar haar hoofd te gooien. Maar Esther maakte een sussende beweging met haar hand.

'Nou nou,' zei ze. 'Mijn halfzusjes zijn nog heel klein en dat is veel moeilijker. Jullie kunnen in elk geval nog enigszins met elkaar praten!'

'Enigszins? Dat heb je goed gezegd!' Alexa lachte.

'Jullie zijn gemeen!' Plotseling sprongen Kaya de tranen in haar ogen. Verdorie, ze wilde cool blijven, maar op de een of andere manier liet ze zich meeslepen.

Esther schrok van haar reactie. Ze zette haar bordje neer en legde een hand op Kaya's knie. 'Hé,' zei ze. 'Dat bedoelde ik niet zo rot als het eruit kwam, sorry!'

'Ik kan er ook niets aan doen dat ik pas dertien ben,' snotterde Kaya en ze wreef met de rug van haar hand over haar ogen.

'Tuurlijk niet! Maar het heeft ook zijn voordelen,' stelde Esther haar gerust. 'Als je achttien bent is dat fantastisch, omdat je plotseling alles mag. Tot je merkt dat je plotseling ook van alles móét!'

'Hoezo?' Kaya haalde haar neus op en haar blik viel op Alexa, die Esther belangstellend aankeek. Zij was natuurlijk ook pas zeventien. Haha, dacht ze, ze hoeft dus niet zo op te scheppen!

'Nou ja, je bent plotseling verantwoordelijk voor jezelf. Als je er een puinhoop van maakt, moet je daar zelf voor opdraaien. Dan valt het je pas op hoe mooi het was, als je na een val troostend in iemands armen kon verdwijnen.'

'Moet je ons horen,' zei Alexa, maar ze lachte niet. 'Ligt het aan het seizoen dat we plotseling filosofisch worden?'

Kaya at de rest van de kwarkpunt op. 'Geen idee,' zei ze. 'Maar achttien zijn lijkt me heel cool. Je hebt in elk geval een rijbewijs en een auto en je kunt doen en laten wat je wilt!'

'En als jij een auto had, wat zou jij dan doen?' wilde Esther weten.

'Ik zou wel iets weten.' Kaya wilde er niet echt op antwoorden – want hoe moest ze Esther duidelijk maken dat ze zo vlug mogelijk naar Chris zou rijden om het waarheidsgehalte van zijn verhaal te controleren?

Ze hadden alle thee opgedronken, al het gebak was verdwenen en Alexa's signalen waren nauwelijks nog te negeren. Ze wilde haar kleine zusje zo snel mogelijk kwijt. Toen kwam het toeval Kaya te hulp. Esthers mobiel ging. Jeetje, wie koos er nou zo'n onnozel muziekje?

Kaya draaide zich gepast enigszins van Esther af. Ze keek onopvallend Alexa's kamer rond. Een tijd geleden had Alexa hem geschilderd en het mengsel van oranje en rood was fel, maar mooi. De rode fauteuil, de oranjekleurige sprei en de brede werktafel van glas met de knalrode prullenbak pasten er uitstekend bij. Aan de muren hingen vroeger posters van zangers of acteurs, maar die waren allemaal weggehaald. Ze had foto's laten vergroten en er hingen nu affiches van toneelstukken en exposities. Misschien moest ze haar kamer ook opknappen, dacht Kaya. Hoewel de posters haar eigenlijk nog wel bevielen. Ze moest er nog maar eens goed over nadenken.

Toen hoorde ze hoe Esther tegen Alexa zei: 'Als ik het niet dacht! Altijd hetzelfde! Ik ben voortdurend aan het oppassen!'

'Ik toch ook,' zei Alexa.

Maar haar toon en gezichtsuitdrukking verraadden dat het een grapje was. Ze wilde de tranenuitbarsting van net weer goedmaken, dat was Kaya al duidelijk. Ze kende haar zus tenslotte.

'Betekent dat dat je naar huis moet?' vroeg Kaya en ze probeerde niet te laten merken hoe gespannen ze was. Ze glimlachte alsof het nergens over ging.

'Florian heeft straks een voorstelling in het kinderdagverblijf en Laura is woedend. Dus moet ik op Laura passen, zodat mijn moeder met Florian weg kan – en hun vader is natuurlijk weer onbereikbaar!' Ze wierp Kaya een veelzeggende blik toe. 'Dat is het voordeel als je een rijbewijs hebt!'

'Het andere voordeel is dat je mij kunt meenemen,' zei Kaya hoopvol.

'Wat wil je nu nog in de stad gaan doen?' vroeg Alexa wantrouwend.

'Bij Esther om de hoek woont Sina toch, mijn vriendin

van school? En het is nog niet eens vijf uur! Waarom doe je zo benauwd?'

Alexa haalde haar schouders op en leunde naar achteren. 'Sina dus,' zei ze luchtig en ze keek Esther even aan. 'Mijn eerste vriendje heette ook altijd Petra en toen het Victor werd, vertelde ik altijd over Victoria!'

Ze lachten alle drie. Toen stond Alexa op en ze drukte Kaya een kus op haar wang. 'Voorzichtig, zusje, en kom niet met een zuigzoen thuis. Daar zijn pap en mam niet zo dol op!'

Esther zeurde niet aan Kaya's hoofd. Ze zette haar af op de hoek van de straat waar Kaya heen wilde.

De nieuwbouwwijk was heel groot. Kaya wist waar Esther woonde, omdat ze daar een keer per ongeluk met Dreamy terecht was gekomen. Toen was ze ook op zoek geweest naar Chris, maar ze werd door onweer verrast. Vandaag zou ze het professioneler aanpakken. Het begin was in ieder geval goed. Het was donker, ze was hier, en ze moest en zou erachter komen of haar verliefdheid zin had of niet.

Jeetje, dacht ze en ze dook dieper weg in haar gewatteerde jack. Het is ijskoud. Chris zit lekker warm en ik ben verliefd op hem. Hoeveel tantes hij ook om zich heen heeft.

Maar toch was ze heel tevreden over zichzelf. Twee uur geleden had ze niet geloofd dat ze het zou redden. Maar nu was ze hier. Dat was een bewijs dat je jezelf nooit moest onderschatten.

De wind blies om haar oren. Kleine sneeuwvlokken

dansten om haar heen en in het licht van de straatlantaarns was goed te zien dat het weer begon te sneeuwen. Ze draaide zich om. Haar sporen waren al te zien. Haar voetafdrukken waren de enige op het trottoir.

Het huis van Chris' ouders lag iets naar achteren en was groter dan de andere huizen in de buurt. De voortuin was ruim en aan de zijkant liep de tuin door naar achteren, hoewel dat niet goed te zien was in het donker. Aan de achterkant was ook meer tuin dan bij de andere huizen. Het zag er mooi uit, met de brede oprit en de brede voordeur die geflankeerd werd door hoge, smalle ramen die reikten tot de grond.

Maar aan zo'n entree had Kaya niet gedacht. Ze bleef staan. Ze had gerekend op dichtgetrokken gordijnen, waarin altijd een spleetje open was waardoor je naar binnen kon gluren, en niet op gesloten rolluiken. Even verloor ze de moed, maar toen werd ze boos. Rolluiken moesten verboden worden. Ze kwamen altijd koud en onhartelijk op bezoekers over.

Ze keek om zich heen en liep toen de oprit op. Er was geen hek, dus was ze ook geen indringer. Ze wilde naar de achterkant van het huis. Onder de carport stond de jeep van Simone Waldmann en daarnaast een auto die ze niet kende. Dat gaf haar al een beetje hoop. De BMW van meneer Waldmann stond waarschijnlijk in de garage. Chris' vader was zuinig op zijn auto en wilde niet dat hij onnodig vuil werd.

De ouders van Chris waren zo verschillend, bedacht Kaya. Maar toch leken ze heel gelukkig samen. Of misschien was dat grote verschil er juist wel de oorzaak van.

De straatstenen van de oprit gingen over in gras. De straatlantaarn reikte niet zo ver en bij de hoek van het huis werd het donker. Kaya liep voorzichtig door, steeds op hindernissen voorbereid. Maar toen alles probleemloos verliep, kreeg ze weer moed. Achter het huis lag een terras over de hele breedte van het huis. Vijf stenen treden gaven toegang tot het terras, zag Kaya in het licht van de maan. Terracotta potten stonden langs het tuinpad en op het terras. Het was allemaal mooi, rijk en chic.

De rolluiken waren dan wel dicht, maar toch liep Kaya de treden op naar het terras. Toen hoorde ze een metaalachtig geluid en opeens baadde alles om haar heen in het licht.

Shit. Een bewegingsmelder!

Ze keek vlug om zich heen. Ze ging op haar hurken zitten en verstopte zich achter een grote struik. Ze keek achterom en zag haar eigen voetstappen in de sneeuw. Dat moest opvallen…

Een van de rolluiken ging omhoog. Kaya's hart bonkte in haar keel en ze maakte zich zo klein mogelijk. Als er iets te zien viel, dan was dat nu. En inderdaad. Een minuut later kwam Chris naar buiten met een blond meisje van ongeveer zijn leeftijd.

Kaya hield haar adem in. Dit was te veel. De smiecht, de leugenaar! Ze was het liefst opgesprongen en erheen gerend om hem een klap te geven. Er was helemaal geen tante! Wat een belachelijke smoes!

Blijf cool, zei ze tegen zichzelf. Kaya: blijf cool, dat is nog altijd je grootste kracht.

'Die bewegingsmelder is de kluts kwijt!' hoorde ze Chris roepen. 'Bij elke kat reageert hij!'

Binnen werd commentaar gegeven. Toen liep Chris met zijn 'tante' weer naar binnen. Het rolluik rolde ratelend achter hen naar beneden.

Kaya zat gehurkt en voelde niets meer. Geen kou, geen wind, zelfs niet haar ijzige knieën. Ze had kunnen huilen, maar deed het niet. Ze bleef cool.

Ze had ruim vijf minuten nodig voor ze overeind kon komen. Nu maakte het haar ook niet meer uit of de bewegingsmelder aan ging of niet. Ze liep langs het huis richting de straat. Ze voelde zich verschrikkelijk verraden, ook al had hij haar nooit hoop gegeven. Maar daar wilde ze nu niet over nadenken. Ze was verslagen en daarom mocht ze nu denken en voelen wat ze wilde.

Ze dacht aan hun eerste zoen, in het bos, op weg naar de blokhut. Hij had haar voor de tweede keer gezoend in de wei, waardoor zijn pony ervandoor was gegaan. Maar zijn zoen was het waard geweest, zo warm, zo mannelijk, zo anders. En nu zou alles voorbij zijn? Nauwelijks begonnen, en alweer voorbij?

Haar coole houding was verdwenen. Ze voelde dat de tranen in haar ogen sprongen.

Hoe moest ze nu eigenlijk weer terug? Ze stond op de oprit van een vreemd huis en de wind floot om haar hoofd. Het sneeuwde, haar oren deden pijn en ze voelde zich de eenzaamste mens op de hele wereld.

Shit, shit, shit!

Het licht ging weer aan. Deze keer waren het schijnwerpers die hun lichtbundels naar voren wierpen. Kaya draaide zich om en rende weg. Ze stak de straat over en sprong vlug achter een auto aan de overkant van de straat. Door de ramen keek ze dwars door de auto heen naar het huis, want ze wilde niets missen.

De voordeur ging open. Eerst gebeurde er niets, maar toen kwam Simone Waldmann naar buiten met een vrouw van ongeveer dezelfde leeftijd. Door het licht van de schijnwerpers kon Kaya zien dat de vreemde vrouw een beetje op Simone leek. De vrouwen bleven na een paar stappen staan, omhelsden elkaar en Simone omhelsde ook de man die achter hen aan kwam. Ten slotte kwam het blonde meisje ook. Ze draaide zich na een paar stappen om en zwaaide naar de open voordeur. Daar stonden ze broederlijk naast elkaar: Chris en zijn vader. Vóór hen stond Charlotte, die bibberend haar armen over elkaar sloeg.

De vreemde auto reed vanonder de carport naar de straat. De vreemde vrouw en het meisje stapten halverwege in en toen kwam het licht van de koplampen op Kaya af. Ze liet zich onmiddellijk op haar hurken zakken. De auto sloeg rechtsaf en verdween uit het zicht. Wat was dit allemaal? Had Chris nou wel of niet iets met dat blonde meisje?

Kaya kwam overeind en gluurde weer door de ramen van de auto naar het huis, maar de voordeur werd net dichtgedaan. Het licht ging uit en alle sporen werden uitgewist door de dikker wordende sneeuwvlokken.

Kaya rechtte haar rug. Fantastisch! Nu was ze nog niet wijzer geworden. Wat had dit allemaal te betekenen? En aan wie kon ze dat vragen?

Ze keek op haar mobieltje hoe laat het was. Over zessen. Om half zeven kwam de bus langs de hoofdstraat, dat wist ze van Charlotte. Als het zusje van Chris niet gebracht werd, kwam ze met de bus naar de manege. 'Elk halfuur komt de bus,' had ze gezegd. 'Heel handig.' Maar... Kaya had geen geld bij zich, dat was minder handig. En ze wist ook niet of de bus 's avonds nog reed. Bovendien was het vandaag zondag. Toch begon ze – eerst langzaam, maar toen steeds harder – in de richting van de bushalte te lopen.

De sneeuwval werd heviger, en ze vervloekte zichzelf intussen om het idee hierheen te komen. Waarom stortte ze zich ook altijd in zulke ingewikkelde zaken? Had ze niet gewoon gezellig met haar vriendinnen in de kantine kunnen blijven zitten? Of zich thuis op haar kamer kunnen vermaken? Haar kleren lagen al een eeuwigheid door de hele kamer geslingerd. Haar schooltas raakte volgepropt met lege kauwgumpapiertjes, mededelingen van school aan haar ouders over vakantiedata en waarschuwingen voor het driemaal niet maken van haar huiswerk. Ze was bang dat de boeken die papieren zo hadden verkreukt en platgedrukt, dat ze die niet meer aan haar ouders kon geven. De uitnodiging voor de kerstviering op school kon waarschijnlijk nog wel, want die was nog redelijk nieuw. Maar ze miste de energie en de tijd om die schooltas eens een keer goed uit te mesten, vond ze.

Het was nog een héél eind naar huis. Ze stond bij de paal met een bord waarop een dienstregeling te zien was, maar een bushokje was er niet. Bibberend van de kou leunde ze tegen de straatlantaarn bij de bushalte. Het was doodstil op straat. Ze voelde zich eenzaam en ellendig. Ze had het gevoel dat de sneeuw elk geluidje dempte, dat alles om haar heen in watten was verpakt, en dat niets tot haar doordrong. Ze voelde het laagje sneeuw op haar haren dikker worden en vroeg zich somber af of er ooit nog een bus zou komen.

Ze keek de weg af en zag opeens dat de muur van sneeuw op twee plekken lichter werd. Eerst dacht ze dat het gezichtsbedrog was, maar toen bleken het de lichtbundels te zijn van twee grote koplampen. Toen ze ook nog het gedempte geluid van een motor hoorde, was het duidelijk. Als het geen vrachtauto was die de weg was kwijtgeraakt, dan kon het alleen de bus maar zijn. Ze klopte de sneeuw van haar schouders en ging dichter bij de stoeprand staan. Ze werd gevangen door het licht van de koplampen en toen hoorde ze het gevaarte sissend remmen. Het was de bus. Wat een geluk!

De chauffeur keek haar aan. Toen gleden de deuren open. Ze klom vlug de twee treden op. De warmte sloeg haar tegemoet en ze begroette de chauffeur met een dankbare lach. De deuren sloten zich weer achter haar en de chauffeur reed door.

'Ik had niemand verwacht in dit hondenweer,' zei hij hoofdschuddend.

Kaya wist niet hoe ze moest reageren. Moest ze hem zeggen dat ze helemaal geen geld bij zich had? Ze keek om zich heen. De bus was leeg. Dat maakte de zaak nog vreemder. Ze reed in een lege bus door de duisternis.

'Ik ben bij een vriendin geweest, maar haar grote broer kwam niet om me naar huis te brengen...' zei ze en ze voelde dat ze een kleur kreeg. 'Ik heb geen geld bij me,' voegde ze er vlug aan toe.

Hij keek haar weer aan. Ze stond nog steeds naast hem en hield zich vast aan een stang.

'Het is bijna Kerstmis,' zei hij grijnzend. Hij zag eruit als een grote teddybeer. 'En van mannen kun je vaak niet op aan, dat weet elk kind!'

'Dank u wel,' zei Kaya en ze ging op de voorste stoel zitten. De bekleding was warm en de veiligheid van de bus maakte haar slaperig. Ze zou eeuwig zo hebben kunnen doorrijden.

'Waar moet je heen?' vroeg de chauffeur even later. Ze waren het bord met de naam van de plaats waar ze woonde al voorbijgereden.

'Ergens in de hoofdstraat. Ik moet naar De Landsknecht, het restaurant. Kent u dat?'

'Ja, ik weet waar het is. Moet je daarheen?' Hij keek haar even geïnteresseerd aan in zijn achteruitkijkspiegel.

'Het restaurant is van mijn ouders!' zei Kaya verlegen, maar ook een beetje trots.

'Ik drink er wel eens een biertje,' zei de man. 'Goeie tent!'

Ze reden door de hoofdstraat en toen de chauffeur afsloeg en met de grote stadsbus voor De Landsknecht stopte, kon Kaya het nauwelijks geloven.

'U bent helemaal geen buschauffeur, maar een beschermengel,' zei ze. Ze gaf hem glimlachend een hand.

'Ik zei toch dat het bijna Kerstmis is?' Hij keek haar lachend aan.

'Heel erg bedankt!' Kaya sprong uit de bus en keek die na, tot ze de achterlichten niet meer kon zien.

Zo. Ze liep vlug door de achterdeur de keuken van het

restaurant binnen om te kijken of er iets te eten was.

'Zag ik nou net een bus in onze straat?' vroeg haar vader ongelovig.

Maar hij was zo druk bezig met het afblussen van een groot stuk gebraden vlees, dat hij zijn vraag meteen weer vergat. Hij maakte een bord klaar met spruitjes, lintmacaroni en een plak van het vlees. Hij goot wat van de heerlijk ruikende, donkerbruine jus over het vlees en gaf haar het dampende bord aan. Ze bedankte hem en ging aan de kleine tafel zitten die onder de tv stond.

Ze hield van haar vaders keuken; de bedrijvigheid, al die verschillende gerechten, de geur van de kruiden en wat hij allemaal klaarmaakte. Bovendien was het er lekker warm en ze vond het heerlijk om toe te kijken als hij stond te koken. Vroeger had ze dat vaak gedaan. De laatste tijd werd het minder. Ze probeerde te bedenken waar dat aan lag. Het moest haar gebrek aan tijd zijn. Of was haar tijdsbesteding veranderd?

Haar mobiel ging.

Ze keek vlug naar haar vader. Die vond het irritant als ze voortdurend zat te bellen. Maar ze had vandaag nog niet één gesprek gevoerd – of tenminste bijna geen.

Het was Cindy. 'Kun je vlug naar de manege komen?'

Kaya keek op haar horloge. Het was intussen bijna acht uur. Hmm. Morgen moest ze weer naar school. Ze moest een overtuigend argument bedenken. 'Waarom?' vroeg ze toen.

'Mijn vader weet van wie de paarden zijn. We willen er nu heen!'

Kaya liet haar vork uit haar hand vallen. Hè? Was dit

goed of slecht nieuws? Wat zou het voor haar betekenen? En voor Sir Whitefoot? Ze slikte.

Op dat moment kwam haar moeder de keuken binnen met een dienblad vol vuil vaatwerk. Ze zette het op de vaatwasmachine neer, nam een ander blad, zette er gerechten op die geserveerd moesten worden en wilde weer weglopen. Maar toen ontdekte ze Kaya. Ze bleef even staan. 'Leuk je te zien,' zei ze met een glimlach. 'Gaat ie goed?'

'Heel goed, mam!'

'Vandaag wordt het helaas laat, allemaal gasten die al in de kerstsfeer zijn. Vind je het vervelend?'

'Natuurlijk niet, mam!'

Haar moeder vormde een kus met haar mond en haastte zich door de zwaaideur terug naar de kleine eetzaal.

Dat was dus duidelijk. Kaya kon haar gang gaan. Voor middernacht zou niemand in haar kamer gaan kijken. Ze zette haar lege bord in de vaatwasmachine en gaf haar vader een kus op zijn wang. Hij sloeg een arm om haar heen en drukte haar even tegen zich aan. Toen liep ze de keuken uit.

'Alles oké?' wilde haar vader nog weten.

'Alles oké,' antwoordde ze.

Nog geen halfuur later was ze in de manege.

Ze had in haar kamer het licht aangedaan en de radio aangezet. Uit de rommelige hoop voor haar kast had ze wat warme kleren geplukt en die aangetrokken. In de bijkeuken stonden warme laarzen en toen was ze op weg gegaan. Ze voelde zich niet erg gerust over haar actie, maar ze had nu ook geen zin in een discussie. Bovendien hadden haar ouders het toch veel te druk. Ze was benieuwd wat ze te horen zou krijgen. Cindy had maar heel kort gezegd wat er precies aan de hand was.

In de kantine zaten haar vriendinnen, Cindy's vader en Claudia. Kaya had meer drukte verwacht. Maar misschien konden ze het beter niet aan de grote klok hangen. Ze knikte naar iedereen en ging toen naast Minka zitten. Ze was dolgraag meteen begonnen met vragen stellen, maar ze wilde natuurlijk ook niet plompverloren midden in het gesprek vallen – Cindy's vader was aan het woord en iedereen luisterde geboeid.

De deur ging weer open en Simone Waldmann kwam binnen met Chris. Kaya wist even niet hoe ze het had. Zou ze die twee ooit weer normaal aan kunnen kijken?

'Je hebt ons gebeld,' zei Simone tegen Claudia.

Claudia knikte en wees naar de bank.

Kaya schoof op om plaats te maken voor Simone en Chris. Nu zat de verrader ook nog naast haar. Ze knikte koel naar hem en boog zich overdreven ver naar voren om naar Cindy's vader te luisteren. Die was even gestopt en wachtte tot de rust terug was gekeerd.

'We wilden vroeger komen,' zei Simone tegen hem, 'maar mijn zus was op bezoek, en dat heeft alles een beetje vertraagd!'

Zozo, haar zus dus. Met haar dochter, het schattige, blonde nichtje.

Kaya voelde een bittere smaak in haar keel omhoogkomen. Had ze dáárvoor urenlang in de kou rondgehangen? Soms was het leven zo gemeen!

Claudia maakte een wegwerpgebaar en knikte Cindy's vader toe. De dominee zat er ontspannen bij. Hij knikte terug en het was aan hem te zien dat hij zich opnieuw moest concentreren.

'Goed,' zei hij. 'Dan nog een keer kort. Toen Cindy me over de vijf paarden vertelde, had ik al een vermoeden, maar ik wist het niet zeker. Dus had het ook geen zin om het bij die boer na te vragen. Of hij al dan niet boxen vrij had, zou niets hebben bewezen. En vrijwillig zou hij zeker niet hebben toegegeven dat hij vijf dieren een levensgevaarlijke vrijheid had gegeven. Ik ken de man. Hij kan verschrikkelijk slechtgehumeurd zijn.' Hij nam een slok thee. 'Maar er woont daar een gezin met drie kinderen dat een behoorlijk grote sociale neergang achter zich heeft. De man had een goede baan. De vrouw werkte halve dagen om tijd voor de kinderen te hebben, die acht, tien en dertien zijn.'

Kaya en Minka keken elkaar aan. Zij waren ook dertien.

'Ze hadden zelf een huis gebouwd, hadden recreatiepaarden en een hond en het zag er allemaal geweldig uit.'

De dominee zweeg even en het was muisstil in de kantine.

'Toen werd zijn vrouw ziek. De man kon het verplegen van zijn vrouw en de zorg voor zijn kinderen niet meer combineren met zijn werk. Hij werd ontslagen en vond geen nieuwe baan. Het huis betekende een enorme last. Ze moesten het verkopen, maar kregen er natuurlijk lang niet genoeg voor, omdat ze haast hadden met de verkoop. Ze vonden uiteindelijk een huurwoning. Maar toen ze ook die niet meer konden betalen, kwamen ze ten slotte bij de sociale dienst terecht.'

Niemand zei een woord.

'Maar de paarden wilden ze niet wegdoen. Ze brachten ze te voet van de ene stal naar de andere, maar werden er steeds uitgegooid als ze niet meer konden betalen. Ze hadden ook geen geld meer voor de hoefsmid of de dierenarts en uiteindelijk stortte alles in.' Zijn blik ging rond en bleef op Kaya rusten. 'Gisternacht!'

Kaya knikte. Dit was verschrikkelijk. Ze dacht aan haar eigen ouders. Wat zou er gebeuren als haar moeder of vader ziek zou worden?

'Dat is de stand van zaken,' zei Cindy's vader ten slotte en hij greep weer naar zijn beker thee.

Simone Waldmann verbrak de stilte. 'Wat kunnen wij doen?' vroeg ze zachtjes. 'Moeten we naar die mensen toe gaan?'

De dominee schudde langzaam zijn hoofd. 'Voor de kinderen is het heel erg. Ze kunnen op school niet uitkomen voor hun armoede, want dan houden ze geen vriend of vriendin meer over.'

'Dat zou bij ons op school nooit gebeuren!' protesteerde Kaya en de anderen schudden ook heftig hun hoofd.

De dominee vertrok even zijn gezicht, wat hem deed lijken op een jong zeehondje. 'Wees eens eerlijk, als er iemand bij jullie vriendengroep komt die niet jullie soort kleren draagt, die geen geld heeft voor de nieuwste cd's, die er niet bij kan zijn als jullie ergens heen willen – hoelang is zo iemand voor jullie interessant?'

Ze keken elkaar aan en iedereen ging in gedachten de rij klasgenoten af. Het was waar dat je met sommige mensen omging en met andere niet, maar of dat met geld te maken had? Er waren mensen die je gewoon niet mocht. Ze schepten op of waren achterbaks, onvriendelijk of gewoon vervelend. Kaya vond niet dat dat van uiterlijke dingen als merkkleding afhing, maar voor haar waren zulke dingen ook niet belangrijk. Maar als het oudste kind dertien was, dan moest een van hen deze persoon wel kennen. Zo veel scholen waren er niet in de omgeving.

'Maar waarom kunnen we er niet even heen?' Kaya ging door op het voorstel van Chris' moeder.

'Ik begrijp het wel,' zei Simone. 'Hoe zouden wij ons voelen als we niets meer hadden van de dingen die we nu koesteren en liefhebben? Als we in een huis wonen dat we helemaal niet leuk vinden. En dan komt er opeens een stel mensen binnenvallen. Ze kijken naar ons, alsof we dieren in de dierentuin zijn, en stellen stomme vragen.'

'Dat zou toch niet gebeuren,' was Cindy's reactie. 'Wij zouden echt niet zo staan gapen. Maar misschien kunnen we helpen?'

'We helpen voorlopig de paarden, daar zijn die mensen toch ook mee geholpen?'

'Maar die mensen hebben de afgelopen weken helemaal niets van zich laten horen.' Fritzi was nog niet overtuigd. 'Ze zijn niet één keer bij hun paarden geweest! Dat zeiden die middeleeuwse figuren toch?'

Claudia keek haar aan, maar Fritzi reageerde niet.

'Als dit verhaal klopt, dan konden ze zich daar niet meer laten zien. De middeleeuwse familie wilde geld hebben. De familie Niedermeier heeft iemand erheen gestuurd met de belofte dat er geld onderweg was. Diegene heeft de paarden daar weggehaald en ze naar de lastige boer gebracht.' Chris mengde zich in het gesprek en Kaya keek hem even van opzij aan. Als hij er niet zo schaamteloos goed uit zou zien, dan zou geen enkel nichtje haar iets kunnen schelen.

'Natuurlijk klopt het verhaal, of denk je dat een dominee liegt?' snauwde ze tegen hem, zodat hij haar verbaasd aankeek.

'Nee, natuurlijk niet,' zei hij, terwijl hij Cindy's vader aankeek.

'Nou dan!' moest Kaya nog even zeggen.

'Goed!' Simone onderdrukte een glimlach. 'Nog een keer de vraag wat we kunnen doen.'

Claudia haalde diep adem. 'Heeft het gezin een kans weer vaste grond onder hun voeten te krijgen?'

Cindy's vader dacht even na en toen schudde hij langzaam zijn hoofd. 'Niet binnen korte tijd.' Hij wreef even over zijn ogen. 'De vrouw had kanker. Ze is geopereerd, maar helaas is het nog niet zeker dat ze weer gezond wordt.'

'Mijn hemel,' zei Simone. 'Dan verliezen de kinderen misschien ook nog hun moeder?'

Weer was het stil en Kaya voelde de tranen in haar ogen springen. Je moeder verliezen was een vreselijke gedachte.

'Dat is nog niet gezegd,' zwakte Cindy's vader het geheel iets af. 'Het kan ook goed aflopen.'

Ze keken elkaar aan. Dit hele verhaal achter de paarden was veel erger dan ze hadden gedacht.

'Dan zullen we de paarden moeten verkopen,' zei Claudia. 'We zoeken een goede koper voor de dieren, want op deze manier is niemand geholpen. De dieren niet en dit gezin evenmin. Als we de paarden goed kunnen verkopen, heeft het gezin tenminste weer een beetje geld.'

Chris knikte. 'Maar waarom hebben ze de paarden niet zelf verkocht?'

'Waarom niet?' imiteerde Kaya hem boos. 'Omdat die mensen heel veel van hun paarden houden.'

'Wat is er met jou aan de hand?' vroeg Chris met opgetrokken wenkbrauwen.

'Niets,' antwoordde Kaya. Ze probeerde te glimlachen, maar dat wilde niet erg lukken.

'Is het voor deze mensen een goed bericht als ze horen dat wij voor de paarden een goed onderkomen gaan zoeken?' Simone boog zich iets naar voren. Claudia ook.

'Ik denk van wel,' zei de dominee. 'Ze zullen blij zijn als iemand het van hen overneemt. Iemand die er verstand van heeft!'

Claudia en Simone knikten naar elkaar.

'Dat moet lukken,' zei Claudia. 'En we moeten misschien ook Trix erbij halen, want die kent veel mensen in de omgeving.'

Simone knikte instemmend.

Kaya slaakte een diepe zucht. Wat betekende dit nu voor Sir Whitefoot? Als iemand meer kon betalen dan zij, dan ging hij waarschijnlijk weg. Het was net als toen met Dreamy. Het leek erop dat ze weer geen geluk had.

Cindy's vader had gelijk: zonder geld kon het leven heel moeilijk zijn.

De week vloog om. Op woensdag had Kaya haar ouders verteld wat er op zondag was gebeurd. Ze had verteld van de zoektocht met Trix naar de eigenaar van de paarden en ze biechtte ook de late vergadering in de manege op. Maar haar uitstapje naar de familie Waldmann liet ze erbuiten. Het kon hooguit gebeuren dat de buschauffeur ooit een praatje met haar moeder zou maken, en dat zij dan wat witjes om de neus zou worden.

Op school werd kerst gevierd. Niemand was nog serieus met lessen bezig. Het was bijna Kerstmis, dan dacht je toch niet meer aan wiskunde? Sommigen waren in hun hoofd al op skivakantie, anderen hoopten dat er mooie cadeautjes onder de kerstboom zouden liggen.

Kaya dacht aan de grote kerstshow van de manege en trainde afwisselend met Dreamy en Wild Thing. Sinds ze het verhaal over het arm geworden gezin had gehoord, vond ze dat het heel goed met haar ging. Ze had dan wel geen eigen paard, maar wel alle mogelijkheden om op prachtige paarden te rijden. En ze hoefde er niet eens voor te betalen.

Dat bracht haar op een idee en op een middag belde ze Cindy's vader op. Die wilde de telefoon al aan zijn dochter geven, maar Kaya zei dat ze deze keer voor hem belde. Ze vond namelijk dat ze de kinderen van het gezin een gelegenheid moesten bieden om te rijden. 'Als ze goed rijden,' zei ze, 'kan er misschien bemiddeld worden. Veel mensen zijn blij als hun paarden in beweging zijn en u kent waarschijnlijk meer ruiters en maneges dan wij!'

De dominee luisterde een poosje naar haar en beloofde over haar idee na te denken.

De mensen stroomden al een uur voor aanvang van de kerstshow de manege binnen. De opkomst was werkelijk enorm. Er waren zo veel mensen dat Kaya zenuwachtig werd. Zo veel belangstelling was er nog nooit geweest. Zouden ze allemaal een plaatsje kunnen vinden op de balen hooi?

De stemming was geweldig. In een lange rij liepen de mensen door de stallen en langs de paarden, met glazen warme wijn en gekookte worstjes tegen de kou, terwijl ze elkaar vrolijk de laatste roddels vertelden.

Kaya had moeite haar pony's in alle rust voor te bereiden. Maar zoals altijd kwam alles helemaal goed. Toen de spreekstalmeester de gasten begroette en voorbereidde op twee mooie uren, stonden de ruiters allemaal bij elkaar in afwachting van hun optreden.

Het openingsnummer werd verzorgd door Kai en Romke, de twee mooie Friezen. Ze trokken een met rode linten versierde, open rijtuig de bak in. In het rijtuig zaten de voorzitter van de ruitervereniging en de eregasten. Het rijtuig reed drie rondjes. Vervolgens werd de bak, vol kerstversieringen, vrijgegeven voor de andere optredens.

Als eerste reed de jeugdquadrille binnen. Daar kon weinig mis mee gaan, want zij hadden het meest geoefend. Kaya reed met Wild Thing naast Minka op Luxury Illusion voorop. Achter hen reden hun vriendinnen en een paar andere meisjes, onder wie ook Charlotte die op Dreamy zat. Tijdens de training had Kaya haar voortdurend in de gaten gehouden, maar vandaag moest ze zich helemaal op Wild Thing concentreren.

Reinier, Claudia's man, had wit zaagsel in het midden van de bak gestrooid in de vorm van een grote, lichte ster. Bovendien was de hele hal met dennentakken en brede, rode linten versierd. Er brandden honderden waxinelichtjes, die in dikke glazen potjes op de randen van de bak waren neergezet. Het was een prachtig beeld, maar de paarden vonden het vooral eng. Luxury wilde meteen een sprong opzij maken toen Minka hem over de lange kant van de bak naar het publiek dirigeerde. Minka had hem meteen weer in de hand, maar helemaal pluis vond de schimmel het niet in de bak. Terwijl Wild Thing gelaten haar opdrachten uitvoerde, werd Luxury op elke hoek nerveus en kreeg Minka het idee dat ze op een kruitvat zat. Maar alles ging goed. Ze kregen veel applaus en maakten plaats voor het volgende nummer.

Het was als *pas de deux* aangekondigd. De deskundige gasten dachten aan een dressuurdemonstratie van hoge kwaliteit met twee paarden, maar het liep anders. De deur ging open en Nike kwam binnen, een mooie schimmelmerrie, bereden door Minka die buiten op het plein in grote haast van paard had gewisseld, gevolgd door Vinchita. Op de tribune was een geheimzinnig gefluister te horen en dat was precies wat Claudia had gewild. Vinchita was Nikes veulen, een lichtgrijs beestje met een wollige vacht en een witte bles, die nu wild door de bak rende, terwijl Minka met Nike een aantal normale dressuuroefeningen deed. Het was duidelijk dat elk kind dit veulentje mee naar huis zou willen nemen. Het was een droompaardje. Toen Minka met Nike op de middenlijn bleef staan voor de afsluitende begroeting, stormde Vinchita naar hen toe en haalde voor de ogen van het publiek haar beloning in de vorm van melk. Ze dronk in alle rust bij haar moeder. De eerste tranen van ontroering verschenen, en toen de deuren van de bak voor de twee opengingen om ze eruit te laten, volgde er een daverend applaus.

De tegenstelling met het nummer dat volgde had niet groter kunnen zijn: Brioso, de pikzwarte Andalusiër, kwam naast Trix binnen. Ze was slank en smal vergeleken bij de gespierde hengst. Trix had een witte blouse met ruches aan op een Spaanse, lange rijrok. Brioso had alleen een zwart trensbit in. Ze hield hem aan een dunne leren teugel en toen ze in het midden van de bak stonden en er luide Spaanse gitaarmuziek klonk, begroette Brioso het publiek met een diepe buiging. Daarna richtte hij zich trots op. Iedereen hield even zijn adem in. Zijn bewegingen waren prachtig en hij straalde zo veel kracht en gratie uit dat het hele publiek erdoor werd gegrepen.

Brioso's naam betekende 'De Vurige', vertelde de spreekstalmeester door de microfoon. Het paard stak de bak in Spaanse stap over, ging op commando liggen en stond weer op. Toen hij voor Trix op commando steigerde en op zijn achterbenen naar haar toe kwam, terwijl zij stap voor stap naar achteren uitweek, kon je in de hal een speld horen vallen. Zo opgericht leek de hengst drie keer zo groot als zij.

Na deze indrukwekkende presentatie volgde de quadrille van de volwassenen. Claudia had bedacht dat de goede indruk die Brioso had gemaakt, veel fouten in de quadrille zou goedmaken. Maar het optreden ging geweldig. Tot haar verbazing waren er maar twee kleine fouten tijdens het rijden, wat echter niet opviel omdat verder alles van een leien dakje ging. 'Ik houd nooit meer een generale repetitie,' fluisterde ze tegen haar man. De spreekstalmeester met de microfoon hoorde dat en verwerkte dat onmiddellijk in zijn commentaar.

Nu stonden er voltes op Kai op het programma. De kleintjes hielden het goed vol en het mooie, zwarte paard doorstond het in alle rust, alsof hij zijn hele leven niets anders had gedaan. De Fries kwam bijna beschermend over, zo voorzichtig maakte hij in galop zijn ronden aan de longe en liet hij de kleine jongens en meisjes turnen op zijn rug.

Daarna was de springquadrille aan de beurt. Terwijl de glazen nog eens werden gevuld met warme wijn, bouwden helpers de hindernissen in het midden van de bak op, en de meisjes stegen op. Ze hadden hun paarden – en zichzelf – versierd met zilveren sterren.

Dreamy stond ongeduldig te trappelen onder Kaya. Hij hoorde de muziek en wilde aan de slag. Maar ze stonden nog voor de gesloten deuren naar de bak en moesten wachten.

Kaya nam in gedachten de afzonderlijke figuren nog eens door, toen ze een hand op haar laars voelde. Chris stond naast haar. Geschrokken keek ze hem aan.

'Heb ik je al verteld dat mijn nichtje een beetje onnozel is?'

Kaya haalde diep adem. 'Weet je het zeker?' vroeg ze.

'Heel zeker! Ik moet altijd thuis zijn als de zus van mijn moeder met haar en haar man komt en dan kletst ze honderduit over dingen die me absoluut niet interesseren!'

'Meen je dat?'

'Ja! En van paardrijden heeft ze al helemaal geen verstand!'

Dat gaf de doorslag. Kaya grijnsde breed.

'Geen verstand?'

'Ik zei toch dat ze onnozel is!'

Zijn hand lag nog steeds op haar laars. Zijn voorhoofd was gefronst. Hij zag er stoer uit en zijn blik naar haar, hoog boven hem, was gewoon supercool.

'Nou, dan...' zei Kaya, terwijl ze naar hem glimlachte. 'Ha!' riep ze daarna, en Chris wist dat dat niet voor hem bestemd was, want op dat moment gingen de deuren open en de vier pony's vlogen in volle galop de bak in. Het licht in de hal werd weerkaatst door de opgeplakte zilveren sterren, terwijl de jonge amazones steeds sneller en wilder over de hindernissen vlogen. Bij een aantal sprongen hielden de toeschouwers hun adem in, omdat het leek of de ruiters tegen elkaar aan zouden botsen.

Maar ook dit ging helemaal goed en toen de muziek ophield en de meisjes een ster vormden in het midden van de bak, ging het publiek uit zijn dak. De Wilde Amazones hadden als Wilde Huzaren gereden. Ze kregen zelfs nog een keer applaus, want de spreekstalmeester stelde de meisjes met hun pony's nog even voor: 'Kaya op Flying Dream, Minka op Luxury Illusion. Frederike, die Fritzi wordt genoemd, op Snoopy en Reni op Don Juan.'

Weer laaide het applaus op. En omdat Claudia dat al had verwacht, hadden de meisjes nog een toegift ingestudeerd. Ze vlogen nog een keer door de bak, schoten van links naar rechts over de hindernissen en toen ze door de deuren van de bak verdwenen, hoorden ze de spreekstalmeester nog zeggen: 'Ja, dames en heren, dat waren ze, onze Wilde Amazones.'

'Super!' zei Kaya. Ze liet zich van Dreamy's rug af glijden en was zielsgelukkig. Kon je goede gevoelens maar opsparen voor slechte tijden, dacht ze. Zoals je chocola bewaart of chips. Dan zou ze altijd iets fijns achter de hand hebben zodra haar stemming bergafwaarts ging.

Dreamy werd door een van de helpers van haar overgenomen, want nu kwam het hoogtepunt van de avond. De vier paarden en de pony stonden klaar, gepoetst en glanzend geboend, de hoeven bekapt en ingevet, de manen gevlochten, de staarten gewassen en geborsteld. In de manen en aan de trenzen hingen zilveren strikken. Elk meisje nam een dier en ze liepen achter elkaar de bak weer binnen. Claudia had de microfoon intussen overgenomen en vertelde het verhaal van die dramatische nacht. Ze vertelde over de reddingsactie en het onderdak dat de paarden kregen in de stallen van de manege. Het geheel paste uitstekend bij het kerstverhaal van Maria, Jozef en het kindje Jezus in de kribbe.

Iedereen was stil, het kleinste geluidje zou te horen zijn geweest en zelfs de paarden stonden er als in brons gegoten bij.

'Nu is het aan ons om voor deze dieren een nieuw en goed thuis te vinden en daarmee ook hun eigenaars te helpen, die buiten hun schuld om in heel verdrietige problemen zijn geraakt.'

Ze pauzeerde even en nog steeds zat iedereen doodstil.

'Wie een recreatiepaard zoekt, een kameraad waarmee je heerlijk op stap kunt, waarmee je over de hei en door de bossen kunt struinen, die moet nu naar zijn hart luisteren. Vanavond is er gelegenheid iets goeds te doen – voor mens én dier.'

Plotseling stak iemand zijn hand op en Claudia gaf de microfoon aan iemand in de mensenmenigte. Toen zei een heldere stem: 'Mijn vrouw en ik zouden graag onze dochter Kaya de pony geven die ze heeft helpen redden. Haar Sir Whitefoot. We houden van haar en nu kan ze die liefde doorgeven!'

'Papa!' schreeuwde Kaya hard en ze viel Sir Whitefoot om zijn hals, omdat ze haar vader zo vlug niet kon bereiken.

En de pony brieste, alsof hij het *happy end* heel goed had begrepen.

Lees ook

Kaya is dertien en gek op paarden. Dag en nacht is ze in de manege te vinden. Haar eerste belangrijke wedstrijd rijdt ze op Dreamy, een al wat oudere manegepony die ze van de eigenaresse mag berijden zo vaak ze maar wil. Tot ieders verrassing wordt ze derde. Maar door dit succes wil de eigenaresse Dreamy opeens verkopen, en dreigt Kaya haar lievelingspony kwijt te raken. Dat mag niet gebeuren, want wat moet Kaya nou zonder Dreamy? Samen met haar vriendinnen verzint ze een plan...

Meneer Waldmann, de nieuwe eigenaar van Dreamy, vraagt Kaya mee op reis. Ze gaan een pony beoordelen waarmee zijn zoon Chris wedstrijden wil gaan rijden. Voor Kaya is dit een buitenkansje: drie dagen samen zijn met de jongen van haar dromen en nog op een kampioen mogen rijden ook! Maar wordt het allemaal wel zo leuk als Kaya het zich voorstelt?

Ook leuk om te lezen

Caja Cazemier
Bibi Xtra

Bibi heeft besloten dat haar gewicht geen probleem is. Maar leuke kleren kopen is dat wel... Dus gaat Bibi zelf aan de slag! Algauw willen andere meiden weten waar ze die leuke kleren vandaan heeft, en voor ze het weet heeft ze een webshop en een eigen kledinglijn!

Daniëlle Bakhuis
Verliefd van twee kanten

Een jonge en een meisje. Zijn ze verliefd? Maud zeker. Maar Raoul? Jongens hoeven niet verliefd te zijn om met een meisje te zoenen, dus hoe weet ze of hij wel op haar is? En wat doet zijn ex bij hem op schoot?

In dit boek lees je haar kant én zijn kant van het verhaal.

Els Ruiters
Chips en zakgeld

Moniek, Nikki, Lisa en Aïsha zijn vriendinnen. Om geld te verdienen beginnen ze hun eigen babysit-centrale: de Babysit Babes. Al snel heeft Lisa haar eerste opdracht. Maar de avond verloopt niet helemaal zoals ze had gehoopt, en dat ze de tv niet aan krijgt, is dan nog haar kleinste probleem…